Capitalismo e Mundialização em Marx

Coleção Debates
Dirigida por J. Guinsburg

Equipe de Realização – Revisão: Alexandra Costa da Fonseca; Produção: Ricardo W. Neves e Adriana Garcia.

alex fiuza de mello
CAPITALISMO E MUNDIALIZAÇÃO EM MARX

EDITORA PERSPECTIVA

Dados Internacionais de Catalogação na Publicação (CIP)
(Câmara Brasileira do Livro, SP, Brasil)

Mello, Alex Fiuza de
 Capitalismo e mundialização em Marx / Alex Fiuza de Mello. – São Paulo : Perspectiva : Belém : SECTAM – Secretaria Executiva de Ciência, Tecnologia e Meio Ambiente, 2000. – (Debates ; 279)

 Bibliografia.
 ISBN 85-273-0225 (Perspectiva)

 1. Capitalismo 2. Economia mundial 3. Globalização 4. Marx, Karl, 1818-1883 I. Título. II. Série.

00-2735   CDD-335.412

Índices para catálogo sistemático:

1. Capitalismo e marxismo : Economia   335.412
2. Mundialização e marxismo : Economia   335.412

Direitos reservados à
EDITORA PERSPECTIVA S.A.
Av. Brig. Luís Antônio, 3025
01401-000 – São Paulo – SP – Brasil
Telefone: (0--11) 3885-8388
Fax: (0--11) 3885-6878
www.editoraperspectiva.com.br
2000

Para Octavio Ianni,

Intelectual-mundo.
Mestre-maior do artesanato intelectual,
libertador, sem fronteiras.

SUMÁRIO

Introdução 11

1. Um Projeto Inacabado? 15
2. O Mercado Mundial 45
3. A Moeda Mundial 71
4. Concentração e Centralização do Capital 91
5. A Teoria das Crises 109

Bibliografia 145

INTRODUÇÃO

Este conjunto de cinco ensaios tem um denominador comum que os inspira e os articula: *o tema da mundialização do capitalismo*. A premissa que está na raiz de toda a reflexão é a de que, em termos gerais, os autores clássicos das ciências sociais muito têm ainda a oferecer, em termos de referencial teórico, à inteligência e ao equacionamento dos novos problemas postos, neste final de século, pelo chamado *processo de globalização* em curso: sua "natureza", dilemas e tendências. Em particular (e contrariamente aos modismos de conjuntura), tal é o caso de Karl Marx.

Ainda que muitos tentem negar, o mundo de hoje ainda se ergue sobre os mesmos alicerces que os filósofos e cientistas sociais do século XIX testemunharam, a olho nu, serem construídos em sua época; os mesmos pilares que, hoje já escondidos mas ainda firmes, continuam a sustentar todo o gigantesco prédio global de nossa contemporaneidade. O fato é que, dado o estágio avançado da obra, observa-se tão-somente o edifício *na sua mais evidente aparência,* em seu acabamento e *design,* esquecendo-se, cada vez mais, de suas verdadeiras fundações. E tudo parece de extrema novidade, de inédita qualidade, na esteira do que o real emerge maquilado de muitos *pós*: *pós*-modernidade, *pós*-industrialismo, *pós*-história e até mesmo, *pós*-capitalismo. Olha-se a árvore e seus frutos (bons ou amargos, dependendo do gosto de cada um), perdendo-se de vista a semente e a genética de todo o processo.

Talcott Parsons – por certo um autor "insuspeito" – dizia, na década de 60, que não deveríamos nos iludir de que algo que se aproxime de uma fase "culminante" do desenvolvimento moderno já estivesse próximo; ao contrário, sua expectativa era de que a principal tendência do século seguinte (o XXI) ou mais tempo ainda, será para a complementação do tipo de sociedade que denominamos "moderna", isto é, para a continuidade e a consolidação do capitalismo, ainda que sob novas formas e configurações[1]. *E nunca houve tanto capitalismo!*

Ora, o capitalismo é o tema central de toda a sociologia clássica, a qual nunca se restringiu tão-somente a taquigrafar as manifestações simplesmente conjunturais ou epocais de sua efetividade histórica (por certo passageiras), mas empenhou-se, sempre e sobretudo, em deslindar os elementos mais essenciais e permanentes dessa nova natureza de sociabilidade, com seus fundamentos estruturais mais básicos e suas leis tendenciais mais marcantes de configuração e desenvolvimento. E não por menos autores como Comte, Spencer, Marx, Tocqueville, Durkheim, Simmel, Weber (e tantos outros) são, hoje, considerados "clássicos" – fontes permanentes de inspiração que deixaram marcas profundamente entranhadas em todo o pensamento social produzido ao longo deste século em ocaso.

A *ciência* de Marx – objeto deste livro –, é bom lembrar, não é, nem nunca foi, o socialismo (este, a sua *utopia*), mas sim o *capitalismo*. *O Capital,* sua principal obra, é uma crítica (no sentido científico-filosófico do termo) *do capitalismo.* Um tema, portanto, *atualíssimo!* – *up to date* a um cenário

---

[1]. T. Parsons, *O Sistema das Sociedades Modernas,* trad. de Dante Moreira Leite, Livraria Pioneira, São Paulo, 1974, p. 172.

*trans*fronteiras, por onde trafegam ainda (ou como nunca), numa velocidade espantosa, mercadorias e capitais. É por isso que, para Fredric Jameson, este é talvez um dos piores momentos para esquecermos os ensinamentos legados por Marx, pois "não parece ter muito sentido falar – no contexto da 'nova ordem mundial' – da falência do marxismo, quando o este é precisamente a ciência e o estudo justamente daquele capitalismo cujo triunfo global se afirma quando se fala da morte do marxismo"[2].

À crítica puramente ideológica de Marx – como a que atualmente transita tranqüila na mídia global – há que corresponder, contudo – tendo em vista os dilemas e os desafios postos pelo novo momento histórico em que nos encontramos –, uma (re)leitura *desideologizada* de seus escritos. Tarefa longa e penosa, considerando tudo aquilo que herdamos (por vezes inconscientemente) da "era da Guerra Fria", com seus enfoques seletivos e suas inevitáveis miopias. Tantos já falaram de tantos marxismos (no plural), que ao final do percurso talvez não tenha sobrado para o próprio Marx senão uma pálida caricatura de sua real envergadura – problema, aliás, que já houvera enfrentado em vida, quando (por razões desse tipo) declarou-se não ser (ele próprio) *marxista*.

A globalização, comumente, tem sido pretexto para empenhadas tentativas de enterrar Marx, entoadas provavelmente num réquiem prematuro face às gigantescas contradições (também globais) que se avizinham. Mas ela também pode suscitar e afinar novas sensibilidades no trato de sua obra e de seu pensamento. Ângulos outros de leituras que se perderam no caminho, ficaram na sombra ou mesmo nunca foram devidamente resgatados – pelo menos com a merecida centralidade! Esse, aliás, é o "clima" propício para esse tipo de desafio, pois hoje podemos nos situar no patamar de um observatório mais elevado da história e, deste *standpoint* privilegiado, municiarmo-nos das lições legadas por esse movimentado

---

2. F. Jameson, "Conversas sobre a Nova Ordem Mundial", *in* R. Blackburn (Org.), *Depois da Queda: o Fracasso do Comunismo e o Futuro do Socialismo*, 2ª edição, trad. de Luis Krausz, Maria Inês Rolim e Susan Semler, Paz e Terra, Rio de Janeiro, 1993.

século, que para alguns revelou-se um tanto quanto "longo", enquanto que, para outros, surpreendentemente "curto" (embora extremado em violência).

Nestes cinco ensaios que se seguem – e que podem ser lidos conjuntamente ou em separado, conforme o gosto e a preferência do leitor – o tema da mundialização é o substrato que fermenta uma outra leitura possível de Marx. Não necessariamente tão original; mas certamente cuidadosa e atenta para com aspectos potenciais de sua teoria atinentes à matéria. O que é mais surpreendente de tudo é verificar que Marx, já no século XIX, desnuda essa dimensão *mundial* do processo civilizatório inaugurado pela *era capitalista,* tomando o diâmetro do planeta (concebido como um gigantesco mercado mundial) como o verdadeiro patamar histórico e heurístico a partir do qual elabora todas as suas formulações a respeito da sociedade moderna, sua dinâmica de movimento e sua lei de desenvolvimento. Não há capitalismo que não seja *supranacional, mundial.* Aliás, falar-se da perspectiva de Marx em *capitalismo mundial* soa, no mínimo, redundância, senão pleonasmo.

Se estas poucas páginas ajudarem o leitor a compreender isso, elas terão alcançado o seu objetivo.

1. UM PROJETO INACABADO?

Há uma idéia que é *transversal* na obra de Marx e que diagrama toda a sua concepção de capitalismo: a de *mercado mundial*. Como noção genérica ou como conceito mais elaborado, encontra-se presente em todos os seus mais representativos escritos da juventude e da maturidade, d'*A Ideologia Alemã* a *O Capital*. E a recorrência não é aleatória.

Ao final dos anos 1850, após uma década de exílio londrino vivida em sua maior parte monasticamente em retiro na *Reading Room* da British Library, Marx havia concluído uma longa e exaustiva trajetória de estudos (iniciada já na década anterior, em Paris)[1] dedicados à compreensão e deslindamento

1. Foi no curso de seu exílio parisiense que Marx se lançou avidamente ao estudo da Economia Política, estudo que ele prosseguiu durante seu exílio em Bruxelas, interrompeu na sua volta à Alemanha, para terminar na British Library durante seu exílio londrino. E. Mandel, *A Formação do Pensamento Econômico de Karl Marx,* trad. de Carlos Henrique de Escobar, Zahar, Rio de Janeiro, 1968, p. 29. Foi em Paris que Marx tomou conhecimento, pela primeira vez, das obras de Smith, Ricardo, James Mill,

15

das leis que organizam e dinamizam a vida social no contexto histórico da sociedade capitalista moderna. Haviam sido finalizados os apontamentos e as resenhas sobre os mais representativos teóricos do pensamento econômico moderno (sobretudo das escolas inglesa e francesa)[2], as pesquisas históricas sobre formações socioeconômicas pré-capitalistas, as leituras mais variadas de registros narrativos e documentais sobre o Oriente, a África, as Américas e a Oceania, tudo seletivamente transcrito e apoiado em anotações, observações, destaques, comentários críticos e análises comparativas, acumulados na tessitura de extensos e complexos rascunhos[3] que mais

McCuldoch, Say (e outros), avançando suas investigações no terreno das ciências econômicas, cujo interesse já havia demonstrado desde 1840/1843, na Alemanha, quando, dirigindo o periódico *A Gazeta Renana,* publicou artigo sobre as condições de vida dos camponeses da região de Mosela. Cf. M. Dobb, "A Crítica da Economia Política", in E. Hobsbawm, *História do Marxismo,* vol. 1, trad. de Carlos Nelson Coutinho e Nemésio Salles, Paz e Terra, Rio de Janeiro, 1979.

2. Somente entre setembro de 1850 e outubro de 1851, época em que se dedicou a uma investigação mais concentrada da história do pensamento econômico moderno, Marx chegou a resenhar obras de não menos que 52 economistas. Cf. Roman Rosdolsky, *Génesis y Estructura de El Capital de Marx (Estudios sobre los Grundrisse),* segunda edición, trad. de León Mames, Siglo Veintiuno, México, 1979, p. 28.

3. Os *Grundrisse,* como tradicionalmente ficou consagrada a denominação desses rascunhos, e que juntamente com os escritos de 1861-1863 (depois traduzidos como *Teorias da Mais-Valia*) resumem o itinerário de todo o trabalho intelectual desenvolvido por Marx ao longo da década de 1850, em Londres, passaram completamente desconhecidos para toda a geração que fincou as bases do chamado "marxismo clássico". Descobertos na década de 1930 e apenas publicados em 1939-1941, em uma edição (em dois volumes) organizada pelo Instituto Marx-Engels-Lenin (IMEL), de Moscou, esses cadernos (sete ao todo), contudo, pelas razões do contexto da guerra mundial, ficaram limitados durante um bom tempo a um grupo extremamente restrito de leitores. Nem mesmo uma edição facsimilar em alemão num só volume, patrocinada pela Dietz Verlag, de Berlim, em 1953, chegou a romper a "clausura" dos textos, tanto que não se encontram menções a tais fontes nas discussões entre autores marxistas até o início dos anos de 1960. Os *Grundrisse* só irão ganhar repercussão a partir do final dos anos 60, com as traduções em francês e italiano (1967-1968 e 1968-1969, respectivamente), e depois com a espanhola de 1971, podendo-se afirmar que, após três décadas de sua divulgação, ainda continuam a ser as páginas menos conhecidas de toda a obra de Marx. Cf. Apresentação e Introdução à edição espanhola de *Elementos Fundamentales para la Critica de la Economia Politica (Grundrisse) 1857-1858,* 14ª edición, Siglo Veintiuno, México, 1986.

tarde serviriam de base referencial às suas três grandes obras de fôlego dedicadas à Economia Política: *Contribuição à Crítica da Economia Política* (publicada em 1859), *História das Teorias da Mais-Valia* (escrita entre 1861-1863 e publicada postumamente por Karl Kautsky, em 1905) e *O Capital* (vol. I publicado em 1867; vols. II e III respectivamente em 1885 e 1894 por Engels, estes últimos também póstumos). Quando, portanto, entre agosto e setembro de 1857, Marx sumariza a título provisório uma "introdução" para o que deveria ser seu Tratado mais completo e definitivo de crítica da Economia Política burguesa, já havia amadurecido uma visão de totalidade da matéria e alinhavado suas principais teses a respeito do capitalismo. Restava planejar a arquitetura do texto, a didática da exposição dos argumentos elucidativos do real, o ordenamento das peças do jogo segundo uma disposição lógica que induzisse o leitor a compreender, progressivamente, o funcionamento do modo social capitalista *de ser* (a produção e a reprodução do capital), suas leis intrínsecas, a inteligibilidade de seu conjunto, as tendências de seu desenvolvimento, o "concreto" como síntese de múltiplas determinações. Em suma, a sua leitura do capitalismo como totalidade viva, como processo em plena vigência e constituição, como modo de produção (e de vida) em seu desenfreado movimento e ebulição.

O projeto arquitetônico de toda a obra marxiana era extremamente amplo. Está revelado, inicialmente, ao final do item dedicado à exposição de seu método de análise da Economia Política, na "Introdução" dos *Grundrisse* (1857): o plano antecipado de sua obra maior, cujo roteiro estampa, inequivocamente, os passos previstos desse gigantesco esforço de abstração, com as escalas programadas de uma longa viagem intelectual que, como se sabe, tornou-se *inacabada*.

Segundo as expectativas iniciais de Marx, a seqüência expositiva de toda a argumentação seria dividida em cinco grandes tópicos, interconectados logicamente, partindo-se de uma análise dos elementos, determinações e conceitos mais simples e gerais (os fundamentos e as conexões internas mais básicos e universais à ordem burguesa em geral) até atingir-se aqueles referentes a relações e configurações concretamente mais amplas e complexas (interconexão dos múltiplos elementos), as quais, ainda que manifestadas com maior evidência na aparência epidérmica do universo social, restariam caóticas e/ou opacas sem uma elucidação prévia de seus componentes mais singulares e medulares. Sem uma desmontagem das "peças do motor" do sistema capitalista (a análise científica), o domínio de seu funcionamento (de sua potência, limites e possibilidades) restaria uma quimera e, a percepção do "motor" como um todo (sistema), como um "equipamento compacto", uma sensação inútil, uma percepção que continuaria presa às armadilhas místicas da "religião da vida cotidiana".

Se a exegese da crítica da Economia Política burguesa, empreendida por Marx, pode ser vista como esse esforço de "desmontagem" das peças e dos segredos do maquinismo do capital, sua "remontagem" se constituía, por seu turno, parte também essencial do desafio de toda a engenharia intelectual. Dependia, nesse caso, também da *técnica de explicação*. Tal fora o propósito dos cinco tópicos selecionados como roteiro expositivo e de sua seqüência lógica: 1) as determinações abstratas mais gerais, mais ou menos presentes em todas as formas de sociedade, mas analisadas (por comparação) relativamente ao contexto do capitalismo (como o fenômeno da mercadoria, do dinheiro etc.); 2) as categorias que constituem a estrutura interna (própria) da sociedade burguesa e sobre as quais assentam suas classes fundamentais: capital, trabalho assalariado, propriedade fundiária. Suas relações recíprocas. Cidade e campo. A circulação e o crédito (privado); 3) a condensação da sociedade burguesa sob a forma de Estado. Considerado na sua relação consigo próprio. As classes "improdutivas". Os impostos. A dívida pública. O crédito público. A população. As colônias. A emigração; 4) as relações internacionais de produção. A divisão internacional do trabalho. A troca internacional. A exportação e a importação. Os câmbios; 5) o mercado mundial e as crises[4]. Esses tópicos seriam tematizados distintamente em seis livros, a saber: 1. o livro do Capital; 2. o livro da Propriedade da Terra; 3. o livro do Trabalho Assalariado; 4. o livro do Estado; 5. o livro do

---

4. Vd. item 3 da "Introdução" dos *Grundrisse, op. cit.*

Comércio Exterior; 6. o livro do Mercado Mundial e das Crises. A opção metodológica escolhida por Marx passava, assim, pela reconstrução abstrata do percurso (ao mesmo tempo) *lógico* e *histórico* do surgimento e constituição do capital, e que vai costurado desde a análise do conteúdo social cumprido pela simples mercadoria individual (analiticamente isolada/tipificada e associada à produção do capital em sua forma mais geral) à "imensa acumulação de mercadorias" (tal qual se apresenta efetivamente a sociedade burguesa, em sua totalidade aparente, no contexto concreto e complexo do *mercado mundial*).

A *Contribuição à Crítica da Economia Política* representa a primeira tentativa de ensaiar esse longo trajeto, mas que acabou por ficar restrita unicamente à exposição do item 1 deste programa, já que não foi continuada por problemas ligados à premência da publicação dos fascículos imposta por contrato acertado entre Marx e seus editores na Alemanha, à época. De qualquer forma, no início do Prefácio à obra (tal qual na "Introdução" aos *Grundrisse*) vem reiterada a intenção última do autor de sistematizar seu exame do capitalismo (e da Economia Política burguesa) partindo da análise conceitual de suas três classes fundamentais, para finalizar com o tema do *mercado mundial* e das *crises*[5]. *O Capital* retomará o mesmo material exposto n'*A Contribuição* e dará seqüência ao argumento, de forma mais sistemática e elaborada, sendo porém interrompido (pela morte de Marx) ainda no item 2 do projeto original, quando se iniciava uma análise das classes sociais[6] – restando

---

5. Esse mesmo propósito fora também expresso inúmeras vezes por Marx em cartas endereçadas a amigos mais próximos, como F. Lassalle e F. Engels, a quem indicara seu plano completo de publicação de seu Tratado de Crítica da Economia Política em seis livros, a saber: 1) O Capital; 2) A Propriedade da Terra; 3) O Trabalho Assalariado; 4) O Estado; 5) O Comércio Internacional; 6) O Mercado Mundial. Vd. Carta a F. Lassalle (Londres, 22/2/1858) e carta a F. Engels (Londres, 2/4/1858), *in* K. Marx e F. Engels, *Selected Correspondence*, second edition, Progress Publishers, Moscow, 1965, pp. 103-104.

6. István Mészáros, no Prefácio que escreveu à sua grande obra *Beyond Capital* (1995), refere-se à obra de Marx – incluídas as publicações póstumas dos dois últimos volumes de O *Capital, os Grundrisse* e *Teorias da Mais-Valia* – como um projeto inteiro de vida não apenas "inconcluso" (de acordo com seu plano de trabalho resumidamente esquematizado em cartas

19

intocados, portanto, os três últimos tópicos do roteiro, sem qualquer tratamento analítico específico (ainda que presentes ao longo de toda a obra na condição de noções e conceitos permanentemente manipulados por seu mentor)[7].

e prefácios), mas que somente alcançou plenamente os objetivos previstos do roteiro naquilo que toca aos seus estágios iniciais, não refletindo, portanto, seus textos, adequadamente, todas as suas intenções explicitamente registradas. Cf. I. Mészáros, *Beyond Capital: Towards a Theory of Transition,* Merlin Press, London, 1995, p. XXI.

7. Tal é o caso dos *Grundrisse,* que sugere inúmeras passagens onde o *mercado mundial* vem tematizado com um certo destaque, ainda que de forma pouco sistemática. Por essa e outras razões, alguns marxólogos de renome, como David McLellan, chegam a reputar os *Grundrisse* como a obra mais fundamental que Marx teria escrito, justamente pelo fato desses manuscritos oferecerem uma melhor e mais completa visualização do conjunto de questões que cumpunham o projeto teórico original de Marx para a sua pretendida obra maior de Economia, cujo roteiro não chegou a ser integralmente cumprido em *O Capital*: "[...] Marx (ao escrever e publicar suas principais brochuras sobre Economia Política) mantinha o plano original, e *O Capital* é apenas a elaboração das primeiras seções, o que faz com que o seu trabalho se apresente dramaticamente incompleto, fato este que deveria levar a eleger os *Grundrisse,* tanto quanto os *Grundrisse* vão além das primeiras seções previstas, como o mais fundamental de todos os trabalhos escritos por Marx". *In* D. McLellan, *Marx's Grundrisse,* Macmillan Press London, 1971, Introduction, p. 9. Antonio Negri ratifica esta constatação de McLellan, ao observar que "nos *Grundrisse,* o mercado mundial aparece desde as primeiras páginas, já no capítulo sobre o dinheiro, e continua a recolocar-se sem parar a cada passagem fundamental, ainda que seja previsto *o recolhimento da matéria em um livro especial"*. A. Negri, *Marx oltre Marx: Quaderno di lavoro sui Grundrisse,* terza edizione, Feltrinelli Editore, Milano, 1979, p. 128. Quando Antônio Celso Alves Pereira, convidado a participar da coletânea brasileira organizada por Leandro Konder, Gisálio Cerqueira Filho e Eurico de Lima Figueiredo em comemoração aos cem anos de falecimento de Marx (1983), redigiu artigo sobre o tema "Marx e as Relações Internacionais" assim introduziu o texto: "Tendo construído uma das mais importantes obras da história do pensamento humano de todos os tempos, Marx, apesar disso, não dedicou, especificamente, atenção especial ou se preocupou em elaborar uma teoria geral sobre as relações internacionais. Mas ao longo de sua vasta, discutida, criticada e louvada produção intelectual, inserida nas várias abordagens em que ele procura explicar as relações sociais e interpretar a história com marca própria e original, *podemos detectar um nível de preocupação com o tema* (grifo meu), enfoque revolucionário e diferenciado de tudo aquilo que, até então, fora escrito, mesmo pelos socialistas que o precederam [...]". A. C. Alvez Pereira, "Marx e as Relações Internacionais", *in* L. Konder *et alii* (org.), *Por que Marx?,* Graal, Rio de Janeiro, 1983, p. 27.

Na verdade, seja o tema da propriedade da terra, como o do trabalho assalariado (ambos originalmente programados para se constituirem em livros distintos), foram estes, de alguma forma, resgatados em capítulos específicos de *O Capital* e de *Teorias da Mais-Valia*: o Trabalho Assalariado, como parte do livro I de *O Capital* e a Propriedade da Terra, sob o tema da Renda da Terra, constante do livro III de *O Capital*, bem como por meio da crítica detalhada à Teoria da Renda Diferencial, de Ricardo, em *Teorias da Mais-Valia*. O mesmo não aconteceu, entretanto, com aqueles do Estado, das Relações Internacionais (Comércio Exterior) e do Mercado Mundial e as Crises, deixados por Marx em "banho maria" (*para serem retomados a posteriori*) em razão da necessidade premente de conclusão da primeira parte da obra (os três tomos dedicados à produção/circulação capitalista) que precisara ser logo finalizada para fins de publicação.

Marx, ainda que possa ter modificado os planos iniciais quanto à formatação final dos livros primeiro, segundo e terceiro – como afirma Roman Rosdolsky –, passando a incorporá-los como aspectos (temas) internos (e não mais distintos) ao processo de produção (global) capitalista (tal qual organizados ao longo dos três tomos de *O Capital*), contudo, "nunca 'abandonou' definitivamente os últimos três, senão que estes estavam destinados ao 'eventual prosseguimento da obra'"[8] – que (como se sabe) restou inacabada[9].

A obra inconclusa da engenharia marxiana tinha, assim, um plano arquitetônico prévio: todo o longo percurso previs-

---

8. R. Rosdolsky, *Génesis y Estructura de El Capital de Marx, op. cit.*, pp. 82-83.

9. Antonio Negri questiona este particular da tese de Rosdolsky, colocando dúvidas (a partir inclusive de argumentos de caráter filológico) sobre a afirmação de que Marx teria "renunciado" à idéia original de publicar um livro especial sobre o Trabalho Assalariado. Considera, o autor, que já nos *Grundrisse* a concepção de trabalho assalariado aparece mais alargada e complexa que as formulações contidas em *O Capital,* sobretudo se vem considerada a dimensão da *subjetividade* de classe (revolucionária) constitutiva do próprio conceito desenvolvido de *salário* (que se avizinha àquele de *classe operária*) – "detalhe" este, segundo Negri, que Marx, por certo, *mai dimenticarebbe* em sua obra maior. Daí porque julga que a morte do pensador não interrompeu apenas seus planos de elaborar os três últimos livros programados, como aquele próprio que seria dedicado ao Trabalho Assalariado. Cf. A. Negri, *Marx oltre Marx, op. cit.*, pp. 16-22.

to desembocaria na tematização do *mercado mundial*. E por quê?

O mercado mundial seria o ponto de chegada, *porque é o verdadeiro ponto de partida da análise de Marx*. Eis a questão! É bastante conhecido o texto até aqui referido dos *Grundrisse* em que Marx, ainda que em estilo sucinto, expõe sua concepção de *método científico*[10]. Sobressai sua preocupação em chamar a atenção do leitor para o equívoco que representa toda tentativa de apreensão de uma determinada realidade social – como, por exemplo, a análise de um país qualquer sob a perspectiva da Economia Política –, tomando-se as aparências empiricamente mais visíveis de sua manifestação – a população, as cidades, os ramos produtivos etc. – como ponto de partida *da explanação* e *horizonte de sua inteligibilidade*[11].

A ciência – dizia ele, referindo-se ao caso específico da Economia – consiste precisamente na demonstração de como a lei do valor afirma ela mesma. Tanto que se alguém quisesse desde o começo *explicar* todos os fenômenos que aparentemente contradizem aquela lei, esse alguém teria que apresentar a ciência *antes* da ciência [...] Se, contudo, o próprio processo pensado se desenvolve como um *processo natural*, considerando que aquilo que realmente abrange deve ser sempre (inicialmente) a mesma coisa, e que pode variar apenas gradativamente, de acordo com a maturidade do desenvolvimento [analítico], incluindo o desenvolvimento do órgão pelo qual o pensamento é dado, [então] tudo o mais é guiado[12].

O primeiro caminho foi o procedimento adotado pelos economistas dos séculos XVII e XVIII, que derivaram suas

10. Karl Marx, *Elementos Fundamentales para la Critica de la Economia Politica (Grundrisse) 1857-1858, op. cit.*, Introduccion, item 3: "El metodo de la Economia Politica". Elucidações adicionais podem ser encontradas em *Miséria da Filosofia,* parte II: "A Metafísica da Economia Política", item 1 sobre "O Método".

11. Dirigindo-se em carta a Engels, comenta Marx: "[...] a maneira pela qual os economistas filisteus vulgares se baseiam para observar as coisas, decorre, notoriamente, do fato de que é apenas a *forma (aparente) da manifestação* das relações que é refletida em seus cérebros, e não suas *conexões internas*". Carta de Marx a Engels (Londres, 27/6/1867), *in* K. Marx e F. Engels, *Selected Correspondence, op. cit.,* p. 191.

12. Carta de Marx a L. Kugelmann (Londres, 11/7/1868), *in* K. Marx e F. Engels, *idem*, 1965, p. 209.

análises do real empregando noções gerais e complexas como "população", "nação", "Estado", tomadas como categorias referentes a totalidades dadas como "transparentes" *em si*, a partir das quais, por estudos tipológicos comparativos de sua composição, dinâmica e organização, cada particular ganhava a sua identidade. Mas o concreto é um vazio destituído de sentido – alertava – se não é compreendido como uma *síntese de múltiplas determinações* (unidade da diversidade); isto é, a "*população*" é uma categoria amorfa se não vem pensada e apreendida nos seus elementos constitutivos mais moleculares, como *as classes sociais*; e essas uma palavra oca, se ignorados estão os fatores (relações) sobre os quais repousam e decorrem: a divisão do trabalho social, da propriedade, a troca etc. O "*capital*" nada é ou significa se é ignorada a existência do trabalho assalariado, das relações mercantis generalizadas, do dinheiro, do preço, da propriedade privada, das condições histórico-concretas que o tornam possível como fenômeno social.

Esse procedimento analítico de extrema abstração – reputado por Marx como o método científico correto –,[13] que visa inicialmente a apreensão das determinações (conexões de relações sociais) mais simples (logicamente depuradas e tipificadas) para, somente então, estabelecer as mediações entre essas e o conjunto da realidade social sob mira – sem o que a compreensão das totalidades visíveis da realidade humana e de suas combinações complexas (sua aparência) permaneceria caótica e as construções conceituais mais genéricas destituídas de conteúdos significativos e cientificamente sólidos –, este procedimento será novamente reafirmado, *en passant,* nos pre(pos)fácios às primeiras edições de *O Capital:*

A investigação tem de apropriar-se da matéria em seus detalhes, analisar suas diferentes formas de desenvolvimento, resgatando sua conexão ín-

---

13. E que chegou a desafiar, inicialmente, até mesmo Engels, que em carta endereçada de Manchester a Marx em Londres, em 9 de abril de 1858, dasabafava: "O estudo do teu resumo no primeiro fascículo [de *Contribuição à Crítica da Economia Política*] me manteve muito ocupado, pois é de fato extremamente abstrato [...], tendo sido obrigado a procurar cansativamente seus nexos dialéticos uma vez que já perdi a familiaridade com o raciocínio abstrato". *In* K. Marx e F. Engels, *Opere (XL) – Lettere 1856-1859,* Editori Riuniti, Roma, 1973, p. 334.

tima. Só depois de concluído este trabalho, é que se pode apresentar, adequadamente, o movimento real. Se isto é realizado com sucesso, se a vida do objeto em mira é então refletida no plano das idéias, transparecerá como se tudo fosse uma construção a *priori*[14].

A teoria, como material transposto para a cabeça do sujeito cognoscente e idealmente organizado e trabalhado como esforço de síntese aproximativa do real observado, é resultado extremamente complexo da capacidade de abstração do cientista, particularmente daquele voltado ao estudo da sociedade, uma vez que este não conta (como no caso do biólogo) com a ajuda tecnológica de um microscópio ou de reagentes químicos no desafio de isolar as "células" que compõem o "tecido" *sui.generis* do organismo social, para assim compreender o seu funcionamento. Aquele será o procedimento adotado por Marx em seu estudo da formação social burguesa, idealmente programado para *O Capital*, cuja lógica expositiva inicia com uma análise da forma *mercadoria*, tomada como "célula econômica" mais simples de uma totalidade complexa organicamente articulada, e que ao "profano" pode aparecer como "pura maquinaria de minuciosidades"[15]. À conceituação de *capital*, suas leis mais gerais de acumulação (final do livro I), de circulação e reprodução (livros II e III), precedem as análises "microscópicas" da mercadoria, do processo de troca, do dinheiro, das formas de produção e do valor (processo de trabalho e mais-valia), da jornada de trabalho, do salário (todos temas da primeira parte do livro I), de cuja conjugação depende a formulação mais rica e dotada de sentido (pelo resultado sintético de suas múltiplas determinações) do conceito que dá título à obra[16].

14. K. Marx, *Capital*, vol. 1, Penguin Books, London, 1990, Postface to the Second Edition, p. 102 [edição brasileira, *O Capital*, livro I, vol. 1, Civilização Brasileira, Rio de Janeiro, s/d, Posfácio à 2ª edição alemã, p. 16]. Em função das citações de *O Capital* estarem recolhidas diretamente dessa edição inglesa, tive o cuidado de localizá-las na edição brasileira acima referida (com o propósito de facilitar a conferência), e que passam a ser indicadas daqui em diante entre colchetes, introduzidas pela sigla *e.b.* (edição brasileira).

15. K. Marx, *idem*, Preface to the First Edition, p. 90 [e.b., Prefácio à 1ª edição, p. 4].

16. Em carta a Engels, de 24 de agosto de 1867, Marx assim se expressa, referindo-se ao conteúdo do primeiro volume de *O Capital,* publicado

Todo esse resgate da lógica do método científico em Marx já foi suficientemente mapeado e debatido pela tradição do pensamento filosófico, econômico e sociológico ao longo do século XX – se bem que, na "pós-modernidade", muitos "detalhes" tenham caído no esquecimento, quando não desprezados. Karel Kosik, por exemplo, frisa que "a ascensão do abstrato ao concreto é um movimento para o qual todo o início é abstrato e cuja dialética consiste na superação desta abstração". Ou seja, em termos gerais, é um movimento "da parte para o todo e do todo para a parte; do fenômeno para a essência e da essência para o fenômeno; da totalidade para a contradição e da contradição para a totalidade; do objeto para o sujeito e do sujeito para o objeto[17]. Ao que pode ser completado com essa passa-

pela primeira vez naquele ano: "Aquilo que há de melhor no meu livro é: 1. [...] a evidenciação do caráter duplo do trabalho, segundo o qual se exprime o valor-de-uso e o valor-de-troca; 2. a análise da mais-valia, *independentemente de suas formas particulares*: lucro, juro, renda financeira etc. É (contudo) sobretudo no segundo volume (uma vez cumprida aquela explicação inicial) que isto aparecerá [...]". *In* K. Marx e F. Engels, *Lettres sur "Le Capital"*, Éditions Sociales, Paris, 1964, p. 174.

17. K. Kosik, *Dialética do Concreto*, 2ª edição, trad. de Célia Neves e Alderico Toríbio, Paz e Terra, Rio de Janeiro, 1976, p. 30. Ernest Mandel, a respeito, sugere seis articulações necessárias ao trabalho intelectual desenvolvido com base no método dialético, de Marx: 1) uma apropriação compreensiva do material empírico e o domínio desse material (aparências superficiais) em todos os seus detalhes históricos relevantes; 2) divisão analítica desse material em seus elementos abstratos constitutivos (progressão do concreto para o abstrato); 3) exploração das conexões gerais decisivas entre esses elementos, que explicam as leis abstratas do movimento da matéria, isto é, sua essência; 4) a descoberta das ligações intermediárias decisivas que provocam a mediação entre a essência e as aparências superficiais da matéria (progressão do abstrato para o concreto, ou a reprodução do concreto pelo pensamento como uma combinação de múltiplas determinações); 5) verificação empírico-prática da análise no movimento de desenvolvimento da história concreta; 6) descoberta de dados novos e empiricamente relevantes e de novas conexões – freqüentemente até de novas determinações elementares abstratas – por meio das aplicações dos resultados do conhecimento e da prática nele baseada, na complexidade infinita da realidade. Vd. E. Mandel, *Late Capitalism*, Fifth Impression, Verso, London, 1993, pp. 16-17. Ainda sobre o assunto, além das observações básicas de F. Engels expostas em seu clássico texto *Ludwig Feuerbach e o Fim da Filosofia Clássica Alemã*, de 1888 (cf. K. Marx e F. Engels, *Ludwig Feuerbach e o Fim da Filosofia Clássica Alemã e Outros Textos Filosóficos (Antologia)*, 3ª edição,

gem de Alan Swingewood que ressalta que o enfoque dialético em Marx (tal qual em Hegel), "é primordialmente um método de analisar as interligações dos fenômenos, de compreender os *fatos* não como dados isolados, rígidos, externos, mas como parte de um processo oniabrangente[18].

Um aspecto, porém, de toda essa *arquitetura marxiana* merece destaque. É que embora Marx frise, com todas as letras, que o *concreto* é, para o pensamento científico, produto de um processo de síntese – que intelectualmente deve ser apreendido mediante uma análise dos múltiplos elementos componentes do real e de suas complexas interconexões – e, portanto, um *resultado,* um *ponto de chegada* do empreendimento de abstração, ao mesmo tempo – afirma, num aparente paradoxo – ele é *o verdadeiro ponto de partida do processo do conhecimento,* porque base da observação imediata, arena das manifestações epidérmicas de fenômenos complexos empiricamente mais visíveis, que se apresentam na aparência como uma multiplicidade de dados caóticos a requerer ordenamento e significação inteligíveis, incitando a formulação das primeiras representações aproximativas do real (*insights,* pistas, hipóteses), ainda que inicialmente superficiais e incompletas[19].

Editorial Estampa, Lisboa, s/d); vd. também do autor russo E. I. Ilyenkov, *La Dialettica dell'astratto e del Concreto nel Capitale di Marx,* Milan, 1961; C. Prado Jr., *Dialética do Conhecimento,* 6ª edição, Brasiliense, São Paulo, 1980; A. Sánchez Vazquez, *Filosofia da Praxis,* 2ª edição, trad. de Luiz Fernando Cardoso, Paz e Terra, Rio de Janeiro, 1977; J. Zeleny, *Dialectica y Conocimiento,* trad. de Jacobo Munõz, Ediciones Cátedra, Madrid, 1982; P. V. Kopnin, A *Dialética como Lógica e Teoria do Conhecimento,* trad. de P. Bezerra, Civilização Brasileira, Rio de Janeiro, 1978; H. Lefebvre, *Para Compreender o Pensamento de Karl Marx,* trad. de Laurentina Capela, Edições 70, Lisboa, s/d.

18. A. Swingewood, *Marx e a Teoria Social Moderna,* trad. de Carlos Nayfeld, Civilização Brasileira, Rio de Janeiro, 1978, p. 45.

19. Além do mais, como observa Jürgen Kocka, é preciso ter presente que esse processo de conhecimento que se debruça sobre o real aparente para investigar suas conexões internas não é tomado, em Marx, como um procedimento *empiricista.* Ao contrário, "quando Marx afirma partir do 'real e do concreto das condições efetivas' e toma como ponto de partida de sua investigação a 'população', para chegar à sua estruturação (as classes) e aos seus elementos básicos, ele já dispõe neste momento de um pré-conhecimento não explicitado por ele – para não tomar como ponto de partida, por

O real é um composto de relações, processos e estruturas simples e complexos (de dimensões micro e macro) que surgem, desenvolvem-se e desaparecem conforme os vários contextos históricos e as evoluções/transformações societárias, e que deve ser apreendido e decifrado em suas leis de movimento e constituição, devendo as categorias sociológicas (ou econômicas etc.) refletir e expressar essa multidimensionalidade da dinâmica da vida social. Haverá, assim, categorias mais simples e mais complexas, que porém, se aplicadas a contextos distintos, podem ora estabelecer mediações, ora significar coisas diversas – nesse caso, exprimindo nuances e alcances diferenciados de conteúdo. Ao mesmo tempo, as categorias simples se-lo-ão tal e qual, seja por se referirem a elementos presentes em realidades historicamente anteriores ao contexto mais desenvolvido do presente (deste geneticamente independentes) – correspondendo a articulação do pensamento abstrato (que se eleva do mais simples ao mais complexo), nesse caso, ao processo histórico real –, seja por se constituir em operações meramente lógicas de isolamento (por exercício de abstração) dos elementos mais moleculares que interagem no âmbito de um todo mais concreto, porém na condição de relação subordinada (geneticamente dependente) – podendo, assim, corresponder ou não, aqui, lógica e história. Uma ilustração didática dessas duas possibilidades é dada pelo próprio Marx, ao tomar o dinheiro como exemplo:

> O dinheiro pode existir e existiu historicamente antes de existir o capital, os bancos, o trabalho assalariado etc. Neste sentido, podemos dizer que a categoria mais simples pode exprimir relações dominantes de um todo menos desenvolvido ou, pelo contrário, relações subordinadas de um todo

exemplo, a nação em oposição a outras nações – e dispõe de uma teoria que lhe possibilita chegar a classes (economicamente definidas) e não a unidades religiosas ou étnicas, por exemplo. Este pré-conhecimento teórico, porém, deveria ser problematizado, e fundamentada a sua adequabilidade relativa em relação ao objeto [...] [Portanto], que aquele pré-conhecimento, aquelas categorias e abordagens teóricas são, por assim dizer, impostos pela realidade a ser examinada, que basta entregar-se de maneira correta à coisa, para conhecê-la adequadamente, disso não se pode falar também numa abordagem marxiana corretamente entendida". J. Kocka, "Objeto, Conceito e Interesse", in R. E. Gertz (org.) *Max Weber & Karl Marx*, Hucitec, São Paulo, 1994, p. 53.

mais desenvolvido, relações que existiam já historicamente antes que o todo se desenvolvesse no sentido que encontra a sua expressão numa categoria mais concreta[20].

A mesma coisa poder-se-ia dizer da categoria *mercadoria*, que surge historicamente como expressão de relações de troca entre indivíduos, comunidades e povos, independentemente da vigência (ulterior) da sociedade burguesa – apresentando-se, sob esse ângulo, como uma pré-condição (dentre outras) para o surgimento do próprio capitalismo –, mas que é tematizada no contexto de *O Capital* como categoria mais simples já subordinada à engrenagem de uma relação mais complexa, mais desenvolvida – *o capital* –, sem a qual o conceito resta ininteligível em todo o seu alcance heurístico.

As categorias estão carregadas de *historicidade*. E mesmo aquelas de conteúdo mais genérico, de aplicabilidade heurística válida para todas as épocas e culturas, só conservam sua validade universal à razão direta de se manterem e reproduzirem como expressões de condições históricas dadas e no quadro dessas. Porém, cada contexto reveste a categoria de significado próprio[21]. A tradutibilidade heurística de categorias mais gerais – como a de *"trabalho"*, por exemplo – se, por um lado, permite, sob um determinado prisma, o reconhecimento de elementos comuns básicos de constituição da sociabilidade humana entre todos os tipos de sociedades e/ou entre

20. K. Marx, *Grundrisse*, vol. 1, *op. cit.*, p. 23.
21. Não por menos Engels replica a Werner Sombart colocando-se contra a generalização equivocada do conceito de valor utilizado por este último em seu artigo "Zur Kritik des Ökonomischen Systems von Karl Marx" ("Uma Contribuição à Crítica do Sistema Econômico de Karl Marx", publicado no *Archiv für soziale Gesetzgebund und Statistik:* "Eu não posso concordar completamente – escrevia Engels – com a interpretação que você confere à exposição de Marx. Especialmente as definições do conceito de valor que sobressaem às páginas 576 e 577 e que me parecem ser por você inteiramente adotadas: eu primeiramente as limitaria historicamente, restringindo-as explicitamente à fase econômica na qual o valor *de per se* tornou-se então conhecido, e apenas na qual poderia ter sido conhecido, notoriamente as formas de sociedade nas quais o intercâmbio de mercadorias, ou a produção de mercadoria, existe; no comunismo primitivo o valor era desconhecido". Carta de Engels a W. Sombart (Londres, 11/3/1895), *in* K. Marx e F. Engels, *Selected Correspondence, op. cit.*, p. 479.

suas diversas etapas evolutivas – estabelecendo, assim, um parâmetro adequado para estudos comparativos –, por outro lado impõe a necessidade de procedimentos analíticos mais rigorosos, capazes de identificar a singularidade do conteúdo concreto dessa mesma categoria no interior de uma situação histórico-social específica: uma coisa é o trabalho nas comunidades primitivas, outra coisa é o trabalho na Antigüidade greco-romana, ou no regime de castas na Índia ou ainda na sociedade capitalista moderna.

A intuição genial de Marx, entretanto, foi perceber que a abstração mais simples, como por exemplo a idéia de *trabalho abstrato* (trabalho *em geral*), de potencial heurístico aplicável a todas as formas de sociedade, "se apresenta não obstante como praticamente precisa neste [grau de] abstração somente como categoria da sociedade moderna[22], ou seja, a capacidade de construção das categorias mais abstratas (porque mais simples) é, em si mesma, um produto histórico da evolução humana, do desenvolvimento social típico de uma sociedade que conseguiu isolar, *na prática,* seus elementos, distinguindo-os entre si e permitindo perceber, pelo efeito dessa *individuação,* que as formas de existência (incluídas as formas de pensamento) variam e são produtos históricos (e não realidades naturais, invariáveis, ou idéias transcendentais)[23].

22. K. Marx, *Grundrisse,* vol. 1, *op. cit.,* p. 26.
23. A esse respeito, Ernest Mandel observa que "um dos principais méritos da teoria econômica marxista é ter conseguido integrar a teoria e a história econômicas, não apenas porque Marx parte do caráter historicamente transitório, quer dizer, socialmente determinado das 'categorias da economia política', como também porque emprega um método de investigação genético que concebe o surgimento, o desenvolvimento e o desaparecimento dessas 'categorias' como um processo histórico". *In* E. Mandel, *Ensayos sobre el Neocapitalismo,* Ediciones Era, México, 1971, p. 153. Interessante é ainda registrar a observação de George Novack, que chama a atenção para o fato de que, antes de Marx e Engels, a lógica e a ciência do processo de pensamento jogava um papel secundário e subordinado no tratamento do processo histórico. Desde então, começou-se a dar mais atenção e a compreender-se com maior rigor os próprios processos de elaboração do pensamento histórico (social) em si mesmos, ao ponto de, com o crescimento do socialismo, ter-se tornado a lógica (a teoria) um poder cada vez maior na determinação do próprio curso do desenvolvimento social na Idade Moderna. Vd. G. Novack, *An Introduction to the Logic of Marxism,* Sixth Printing, Pathfinder Press, New York, 1986, pp. 109-110.

É nesse sentido que, para Marx, na anatomia do homem é que se encontra a chave da anatomia do macaco[24]. A sociedade burguesa, como formação histórica mais evoluída, por conter uma maior riqueza de diferenciações, contrastes, contradições, dinamismos e formas mais desenvolvidas de manifestação societária, constitui-se no laboratório *par excellence* para o estudo de toda a evolução humana; e as categorias que desnudam suas relações mais básicas, ao deslindarem os códigos de seu funcionamento e ordenação, permitem ao mesmo tempo iluminar a inteligibilidade (por método comparativo) das estruturas e relações vigentes em formações sociais pretéritas, "sobre cujas ruínas e elementos ela foi edificada, e cujos vestígios, ainda não superados, continua arrastando, ao mesmo tempo que meros indícios prévios desenvolveram nela seu pleno significado"[25].

A compreensão da singularidade da sociedade burguesa no seu conjunto (de suas leis gerais de movimento), objetivo último de todo o empreendimento intelectual de Marx, é, simultaneamente, o *ponto de chegada* e o *ponto de partida* do exercício lógico-analítico requerido. O *ponto de chegada* só é possível, contudo, ser alcançado (isto é, cientificamente deslindado), se o *ponto de partida,* como totalidade aparente e genérica, vier superado *a posteriori* pela reconstrução dessa mesma totalidade enriquecida pelo desvelamento de seus elementos constitutivos mais simples e moleculares (que, no concreto, existem conectados) e que envolve, em última análise, o resgate de sua própria *genética constitutiva,* de sua *historicidade.*

Se a economia burguesa nos dá a chave para o entendimento da economia antiga ou feudal – no sentido em que nela se encontram, ao mesmo tempo, elementos reminiscentes, símiles ou transformados ("quantidades" que, dinamizadas,

---

24. Formulação com sentido semelhante está elaborada em *O Capital,* quando diz Marx: "A reflexão sobre as formas da vida humana, bem como sua análise científica, é seguir rumo diretamente oposto ao de seu real desenvolvimento (histórico). A reflexão começa depois do fato consumado, com os resultados do processo de desenvolvimento, portanto, disponíveis à mão". *In* K. Marx, *Capital*, vol. 1, *op. cit.*, chap. 1, p. 168 [e.b., livro 1, vol. 1, cap. 1, p. 84.]

25. K. Marx, *Grundrisse*, vol. 1, *op. cit.*, p. 26.

mudaram de "qualidade") daqueles presentes em outros modos de produção –, em contra-partida (e aqui está o contraponto da dialética metodológica marxiana) ela só será suficientemente decifrada se vier compreendida como resultado histórico da evolução (contraditória) dessas mesmas formações, como síntese das contradições e transformações que governaram a dinâmica interna dessas várias etapas da história da sociabilidade humana[26], ou ainda, se vier apreendida nas suas especificidades por efeito comparativo de diferenciação entre seus elementos e formas dominantes com aqueles que imperaram (ou ainda imperam) em sociedades distintas (não-capitalistas). "A assim chamada evolução histórica repousa em geral no fato de que a última forma considera as passadas como outras tantas etapas em função dela mesma"[27], isto é, como jornadas que levam ao seu próprio estágio de desenvolvimento. Na sociedade burguesa, o *capital* é o *ponto de partida* de toda a equação, na medida em que é a força econômico-social (tipo de relação) que tudo domina e determina, subordinando as demais relações e instâncias societárias. Mas esse *ponto de partida,* ainda que desde logo percebido, inicialmente é (do ponto de vista científico) uma *incógnita*; falta ser decifrado a partir do exercício de combinação com os outros elementos componentes da equação. É, portanto, também o *ponto de chegada*. Nada pode ser compreendido e explicado sem ele (*ponto de partida*); mas não pode ser determinado como conceito (*ponto de chegada*) – isto é, ser superado como incógnita – sem que os demais elementos da equação sejam examinados e a ele correlacionados (lógica e historicamente).

O mundo aparente do capital é o mundo do mercado, da "imensa acumulação de mercadorias", do frenesi das trocas,

---

26. Ste. Croix destaca que "para compreender plenamente o capitalismo, Marx sentiu a necessidade de estudar suas origens historicamente, e de fato ir ainda mais atrás no tempo, ao mundo Greco-Romano e outras formações sociais mais primitivas". G. E. M. de Ste. Croix, "Karl Marx and the Interpretation of Ancient and Modern History", *in* B. Chavance (org.), *Marx en Perspective,* Éditions de l'École des Hautes Études en Sciences Sociales, Paris, 1983, p. 160.

27. K. Marx, *Grundrisse, op. cit.*, p. 27.

da circulação desenfreada das coisas, que precisa porém ser resgatado (como forma capitalística de *ser*) num plano superior de cientificidade, como síntese de múltiplas determinações, desmistificadas previamente suas engrenagens dinâmicas mais essenciais. Esse era o objetivo do roteiro expositivo de Marx; o sentido último de sua metodologia, a estratégia de elucidação de todo mistério, ao ponto de ter afirmado, logo na introdução ao primeiro capítulo do livro III de *O Capital*:

> No primeiro livro investigamos os fenômenos do *processo de produção* capitalista considerado apenas como processo imediato de produção, quando abstraímos todos os efeitos induzidos por circunstâncias a ele estranhas. Mas o processo de produção não abrange a vida toda do capital. Completa-o o *processo de circulação*, que constitui o objeto do livro segundo [...] O que nos cabe neste livro terceiro não é desenvolver considerações gerais sobre essa unidade, mas descobrir e descrever as formas conectadas oriundas do *processo de movimento do capital, considerando-se esse processo como um todo*, em seu movimento real [onde] os capitais se enfrentam em formas concretas[28].

28. Desde o começo de *O Capital,* quando constrói sua análise como uma investigação que vai deslindando progressivamente *o capital em geral,* isto é, o capital como universalidade abstrata (sua lógica interna de *ser)* tomada por hipótese e desenvolvida e testada em todas as suas potencialidades como realidade "pura" (inicialmente tipificada e abstraída dos condicionamentos particulares da realidade objetiva, ainda que utilizados constantemente fatos individuais e casos histórico-concretos como ilustração e reforço dos argumentos em causa), Marx necessariamente programara, como herdeiro que era do método lógico-dialético de Hegel, o passo seguinte da "desconstrução" dessa universalidade por meio do mergulho no emaranhado do oceano fenomênico, em que toda a "pureza" do conceito anteriormente revelada ganha sua plena efetividade histórica (cumprindo, então, sua função teórico-heurística mais nobre). "Quando coloca sua análise como investigação sobre *o capital em geral,* Marx pressupõe que todas as potencialidades históricas contidas no conceito de *capital* sejam desenvolvidas ou desenvolvíveis. A particularidade e a individualidade não são apenas notas do conceito geral; são também momentos que o contradizem ou, como é o caso do *individual, liberam-no* da abstratividade da universalidade [...]. O capital em geral ou o capital segundo o seu conceito não é uma definição do significado de um nome [...] é uma realidade particular que manifesta uma tendência universal [...] A aproximação à *realidade,* que Marx se propõe efetuar no Livro III de *O Capital,* é, em substância, uma dissolução progressiva dos vínculos que derivam da *idealização,* ou seja, da precedência dos valores-preços em relação à circulação real. A troca é progressivamente desvinculada dessa idealidade, mesmo que seus meca-

O livro III de *O Capital* representava, assim, apenas o início da trajetória de retorno ao mundo fenomênico do capital, onde suas configurações vão então ganhando paulatinamente a forma material com a qual se manifestam concretamente à superfície da sociedade, ou seja, como circuito efetivo da concorrência entre capitais, da luta entre classes, da consumação contraditória da ordem em Estado, das relações internacionais, da pulsação do mercado mundial. Diz Marx:

> Os fenômenos sob investigação neste capítulo requerem, *para seu pleno desenvolvimento*, o sistema de crédito e a concorrência *no mercado mundial, (este) o verdadeiro ser, a verdadeira base e a atmosfera em que vive o modo capitalista de produção* (grifos meus). [Contudo] essas formas mais concretas de produção capitalista só podem ser completamente caracterizadas depois que a natureza geral do capital estiver compreendida, estando, portanto [por enquanto], fora do propósito deste trabalho expô-las – elas *pertencem a uma possível continuação* (grifo meu)[29].

Ou seja: os livros quatro, cinco e seis do plano original (os três últimos tópicos do roteiro de exposição previamente arquitetado) seriam a complementação prevista do livro terceiro, *inacabado*. O *mercado mundial* (a "base" e a "atmosfera"

nismos reais se apresentem de tal modo que não se afastam radicalmente da idealidade pressuposta". N. Badaloni, "Marx e a Busca da Liberdade Comunista", *in* E. Hobsbawm (org.), *História do Marxismo*, vol. 1, *op. cit.*, pp. 222-223 e 257. O livro III, de *O Capital*, seguido dos demais que não chegaram a ser escritos, comporiam, portanto, no todo, essa "passagem" do plano teórico, em que o capital (agora deslindado em sua "essência") revelar-se-ia plenamente à luz de suas configurações aparentes, como *idealidade realizada, isto é*, como "fatos" e "tendências" objetivamente detectáveis e localizáveis: como concorrência, como anarquia, como luta, como crise, como Estado, como mercado mundial etc.

29. K. Marx, *Capital*, vol. 3, *op. cit.*, cap. 6, p. 205 [e.b., livro 3, vol. 4, cap. VI, p. 123]. Em outra passagem dos *Grundrisse*, Marx assevera que as relações gerais da sociedade burguesa "tornam-se desarmônicas quando se apresentam na forma mais desenvolvida – na forma do mercado mundial": "(e) esta desarmonia a nível do mercado mundial – conclui Marx – não é outra coisa que as últimas expressões adequadas das desarmonias pelas quais estas se fixaram nas categorias econômicas enquanto relações abstratas", razão pela qual, dada a enorme complexidade do tema, este estava pautado para se constituir apenas a escala final do roteiro global de todo o Tratado de Marx e o verdadeiro fecho de sua crítica à Economia Política burguesa.

real do modo de produção capitalista), por sua vez, o grande tema, o "fecho de ouro" de *O Capital*[30].

O capital, como *formação histórica*, como *modo de produção*, como processo constitutivo de um tipo de *civiltà*, já possuía na percepção de Marx, desde o início (herdeiro que era das contribuições da filosofia hegeliana da história e da economia política inglesa de um Adam Smith ou de um David Ricardo), um dinamismo e uma formatação societária dimensionados em escala *mundial*[31]. Com Hegel – para quem a História *em geral* era essencialmente o desenvolvimento do Espírito no *Tempo,* como a Natureza era o desenvolvimento da Idéia no *Espaço*[32] –, Marx afinara sua compreensão *processual* da história, cuja universalização, nos "tempos modernos", ao nível da estruturação das relações internacionais, atingira a materialidade *empírica e efetiva* de uma história *mundial*, entrelaçados então, dinâmica e objetivamente, os vários continentes (o *"Velho"* e o *"Novo"* Mundo) como inédita *totalidade dialética* sob a direção vital da "velha-nova" Europa[33] da civilização mediterrânea

---

30. Antonio Negri chega a formular a seguinte questão (e que vai ao encontro desse mesmo argumento, reforçando-o): "Não se poderia, de fato, dar-se que, exatamente como previam os esquemas preparatórios (de Marx), *O Capital* não fosse mais que *uma* parte, e não a fundamental, de todo o conjunto temático marxiano?" A. Negri, *Marx oltre Marx, op. cit.*, p. 19.

31. O conceito de "capitalismo histórico" empregado por Immanuel Wallerstein, por exemplo, está acoplado diretamente a essa idéia de capitalismo como "sistema social histórico" no qual o capital (anteriormente existente, mas de manifestação limitada e subordinada) veio a ser usado com o objetivo básico de *auto-expansão*, o que implicou na mundialização da lógica da produção mercantil e, conseqüentemente, na passagem do capital da condição de relação subordinada à relação social universalmente dominante. Cf. I. Wallerstein, *O Capitalismo Histórico*, trad. de Denise Bottmann, Ed. Brasiliense, São Paulo, 1985.

32. G. W. F. Flegel, *The Philosophy of History*, translation by J. Sibree, Dover Publications, Inc., New York, s/d, p. 72.

33. Utilizando-se aqui como inspiração a pergunta genial de G. Arciniegas: "em verdade, onde ocorreu o Novo Mundo que surgiu no XVI: do lado ocidental do Atlântico, ou em uma Europa que despertava para uma outra vida e um outro destino, e que até a véspera não era senão um Velho Mundo?". *In* G. Arciniegas, *America en Europa*, Plaza & Janes, Editores Colombia Ltda., 1980, p. 29.

(em continuidade), o coração pulsante do Novo Mundo e da nova era[34].

Tal qual Hegel – e todos os grandes pensadores europeus que viveram em torno do "Século das Luzes", o deslumbramento do alargamento visível do planeta e dos horizontes de sua inteligibilidade –, autores como Adam Smith e David Ricardo – ambos também fundamentais à formatação sintética do pensamento de Marx – elevaram as reflexões sobre as relações sociais de produção e de troca nos parâmetros dos novos tempos a uma escala superior de equacionamento, onde o *mercado mundial* (então realidade já palpável) passara a ser o invólucro referencial de toda dedução e de toda e qualquer contabilidade científica. As conquistas dos descobrimentos e do progresso material trazidos pela expansão do comércio e pela subordinação dos outros três-quartos do globo às artérias do "coração pulsante" – as mesmas razões que provocaram a revolução filosófica iluminista –, são também, aqui, o substrato empírico que induz à fundação de uma nova ciência econômica, justamente no seio da nação que passara a liderar todo o processo de ocidentalização do mundo a partir dos séculos XVII/XVIII.

Adam Smith, já desde 1776, entendera que a Europa, no contexto da mundialização progressiva das relações de mercado, deveria ser pensada como um *grande e único país* (precursando, assim, há duzentos anos, a idéia de "*bloco*" e de "*mercado comum*"), com plena liberdade comercial entre os países membros; e que o desenvolvimento industrial (manufatureiro) europeu (e não somente o inglês), e a satisfação elástica das necessidades materiais dos povos, já não podiam mais auto-sustentar-se sem os ligames que articulavam a economia no Velho Continente às colônias da América e do resto do mundo.

> O descobrimento e a colonização da América, como é evidente, contribuiu para o aumento da indústria, em primeiro lugar, de todos os países que têm um comércio direto com ela, como a Espanha, Portugal, França e Inglaterra e, em segundo lugar, de todos os que, não tendo comércio direto

---

34. Vd. G. W. F. Hegel, *The Philosophy of History, op. cit.*, Introduction, item sobre "Geographical Basis of History", pp. 79-102.

com ela, todavia para ela enviam, através de outros países, mercadorias por eles produzidas, como a Flandres austríaca e algumas províncias da Alemanha que, por intermédio dos países anteriormente mencionados, enviam para a América uma quantidade considerável de linho e de outros bens. Todos estes países passaram, evidentemente, a ter um mercado mais vasto para a sua produção excedentária e, conseqüentemente, terão sido encorajados a aumentar a sua quantidade[35].

O novo mercado intercontinental, "que nada retirava do velho mas, ao contrário, que apenas lhe acrescentava", é o tema de fundo de toda a obra smithiana, e toda nova lógica econômica que passara a compreender e teorizar a interconexão visceral entre ampliação do comércio, aumento da produção e reprodução do capital. O capitalismo nascente estampava-se, já, como uma economia de vitalidade *internacional* (intercontinental), onde – no dizer de David Ricardo – nenhum país podia mais, por muito tempo, apenas importar, sem, ao mesmo tempo, exportar (ou vice-versa)[36]; em que todos estavam interligados entre si, motivo pelo que essa interdependência se constituía na única possibilidade de progresso material e de expansão e saúde dos negócios.

Em muitos casos, os grandes lucros já brotavam mais dos arroubos do comércio exterior que daquele tradicionalmente restrito aos limites internos dos territórios vizinhos. Ricardo, além de Smith (e mais do que ele), é um dos primeiros teóricos a conceber o capitalismo como um *"sistema"* fundado sobre o comércio mundial e destinado a envolver, progressivamente, todo o globo numa única rede de articulações. Daí porque afirmava – num contexto cujo sistema manufatureiro inglês mais avançado, o têxtil, já dependia da lã de ovelha e do algodão de vários países, como das colônias da América e da Ásia a maioria das tintas que imprimiam as cores vivas da moda européia (para não falar da pele de foca importada da Groenlândia)[37] – que,

---

35. A. Smith, *A Riqueza das Nações*, vol. II, 2ª edição, trad. de Luís Cristóvão de Aguiar, Fundação Calouste Gulbenkian, Lisboa, s/d, pp. 143-144.
36. Cf. D. Ricardo, *On the Principles of Political Economy and Taxation*, Cambridge University Press, Cambridge, 1970, p. 263.
37. Cf. *idem*, p. 218.

sob um sistema de perfeito livre comércio, cada país naturalmente destina seu capital e trabalho àqueles empregos que lhe tragam maiores benefícios, [mas onde, porém,] cada vantagem individual está admiravelmente conectada com o bem universal do todo [do sistema por inteiro] (...) [Da mesma forma que,] enquanto pelo aumento da massa geral de produtos difunde-se o benefício geral, e se une a todos por um laço comum de intercâmbio de interesses, a *sociedade universal das nações* (grifo meu) estabelece por toda parte o mundo civilizado. E este é o princípio que determina que o vinho possa ser produzido na França e em Portugal, que o milho possa crescer na América e na Polônia e que ferramentas a outros bens possam ser manufaturados na Inglaterra"[38].

Em *Teorias da Mais-Valia* – compêndio em que se encontram formuladas as principais sínteses dos exercícios teóricos empreendidos a respeito de toda a tradição do pensamento econômico europeu à época, e que preparou (juntamente com os *Grundrisse*) o esboço de *O Capital* –, Marx deixa outras pistas que permitem verificar o quanto boa parte da teoria econômica (sobretudo na Inglaterra e na França) já havia incorporado (ainda que em estágios distintos de sistematização) um certo nível de reflexão a respeito da dimensão *internacional* do capitalismo como ordem econômica, bastando para isso citar, *en passant*, contribuições de autores como Sir Dudley North, o qual, sob influência direta de W. Petty (*A Tratise of Taxes and Contributions*, London, 1667), em seu *Discours upon Trade* (London, 1691) afirmava que "uma nação no mundo, por sua relação ao comércio, é, em todos os sentidos, como uma Cidade em um Reino, ou uma Família em uma Cidade"[39]; ou como D. Hume (Essays, Londres, 1772), que atribuía à expansão contínua do comércio (e o estímulo ao consumo) a única saída recuperadora para a tendência de queda do lucro médio das companhias provocada pelo crescimento da produção[40]; ou ainda Cherbuliez, economista francês de meados do século XIX, que no texto *Richesse ou Pauvreté* (Paris, 1841) prognosticara o amplo domínio do capital sobre o mundo inteiro e de sua lei de apropriação, provocando, em conseqüência, a eliminação das "antigas distin-

---

38. *Idem*, capítulo VII, "On Foreign Trade", pp. 133-134.
39. Vd. K. Marx, *Theories of Surplus-Value*, vol. I, Lawrence & Wishart Publishers, London, 1969, p. 371.
40. Cf. *idem*, p. 375.

ções sociais em todas as partes, para as substituir pela simples classificação de homens ricos e pobres, os ricos que desfrutam e governam, os pobres que trabalham e obedecem"[41] – o que significa uma antecipação teórica da tese marxiana do surgimento de classes universais sob o capitalismo. Todos esses antecedentes teóricos de referência, somados à evidência dos acontecimentos que marcaram a história do expansionismo comercial no século XIX impulsionados pela Revolução Industrial, levavam a que o *mercado mundial* se apresentasse, para Marx, tanto histórica quanto logicamente, como a instituição (e o *locus epistemológico*) heuristicamente estratégica(o) (como *ponto de partida* e *ponto de chegada*) de toda tentativa de decifração da natureza e dinâmica da sociedade capitalista moderna.

A crítica completa da Economia Política burguesa implicava numa reavaliação radical da concepção de mercado. Desde Adam Smith, a *divisão social do trabalho* (distribuição das diversas atividades econômicas em ramos distintos de ocupação e especialização e a organização técnica interna a cada esfera de atividade) passara a ser concebida como a estrutura fundamental de toda sociedade (tomada a moderna como modelo *par excellence*), do que decorria, teoricamente, deslocar a explicação do nexo social real entre os homens (e o lugar hierárquico ocupado por cada um no conjunto da coletividade) para a esfera das determinações ditadas pela necessidade das infinitas atividades recíprocas de compra e venda dos vários e diferenciados produtos e serviços (e não por fins altruísticos ou morais), destacando-se, assim, o *mercado* – como síntese concreta fundamental de toda ordem de sociabilidade –, como "o lugar da *vontade geral* [...] o horizonte ulterior à vontade e à consciência do indivíduo [...] o âmbito no qual, pela ausência de qualquer assimetria, o tratamento do útil individual deságua, de *per se* (e *ultima ratio*), no tratamento do útil de todos"[42].

Base de toda teoria da moderna sociedade civil, a concepção simithiania de mercado será assimilada por Hegel em

---

41. Vd. *idem*, vol. 3 da edição argentina *Teorias sobre la PlusValia*, Cartago, Buenos Aires, 1974, p. 329.

42. R. Finelli, "La riflessione sul moderno in Smith, Ricardo e Marx", in *Critica Marxista*, n. 4, anno 25, Riuniti Riviste, Roma, 1987, pp. 44-45.

suas linhas gerais, só que transposta pelo filósofo para um recorte analítico (dialético) diverso daquele comumente exercitado pelo grande economista inglês, ou seja: enquanto este concebe o automatismo da divisão do trabalho e do mercado como fenômeno derivado do *princípio da particularidade* (isto é, a busca das utilidades individuais determinando automaticamente a satisfação daquela coletivo-universal), Hegel, sem negar este movimento, irá afirmar, contudo, uma outra dimensão contraditoriamente contida no processo constitutivo da sociedade mercantil moderna, qual seja, o *princípio da totalidade* (universalidade), da precedência do todo sobre o particular, no sentido que as conexões sociais assumem uma forma e um espaço (uma materialidade) próprios de existência não redutíveis à mera soma e repetição dos interesses individuais[43].

Aqui, a tese da Mão Invisível, de Smith, é levada às últimas conseqüências, pois o mercado é elevado à condição não mais de simples *efeito* da divisão do trabalho e das vontades individuais em ação, mas àquela de *realidade objetiva em si*, instância *fundante* e *sobredeterminante* de toda ação individual, ratificando, numa perspectiva mais complexa e refinada, que as relações sociais na modernidade (ao contrário do comunitarismo feudal) não têm mesmo mais nada de "pessoal". A instância de integração social passou a ser o mercado, onde cada um (sem mais qualquer autonomia ou proteção seja lá de que ordem for) agora depende de todos, mas onde também (e em proporção crescente à expansão do mercado) o conjunto da dinâmica social escapa à consciência e à intencionalidade de cada indivíduo[44]. Tal qual um mecanismo (ou um sistema) que, criado pela ação coletiva do homem, acaba adquirindo vida própria e escapulindo ao controle dos indivíduos como tais, o automatismo do mercado (cada vez mais mundializado), transformado em automatismo inintencional com força própria (e que é o domínio dinâmico do todo sobre as partes ou do "interesse geral" sobre aqueles individuais), passa a impor-se

---

43. *Idem*, p. 47. No original, esse argumento de Finelli pode ser verificado, por exemplo, na passagem contida no parágrafo 186 da *Filosofia do Direito*, de Hegel. Cf. *Hegel's Philosophie of Right*, translated with notes by T. M. Knox, Oxford University Press, Oxford, 1967.

44. R. Finelli, *op. cit.*, p. 50.

ao conjunto da sociedade como uma espécie de metabolizador das relações sociais, encarnado e concentrado em *coisas* exteriores aos indivíduos, mas de tal forma universalmente dominante, ao ponto de *obrigar* cada um a submeter-se à sua própria lógica de reprodutibilidade sistêmica – residindo, exatamente aqui, o princípio causal explicativo do fenômeno da *reificação*.

A guinada de Marx (e que será o fundamento de toda sua crítica à Economia Política burguesa) dar-se-á justamente a partir desse ponto de inflexão legado por Hegel (como pode ser constatado nos *Manuscritos de Paris*, de 1844), assumindo e desenvolvendo sua tese da *reificação* (traduzida mais tarde em *O Capital* como "o fetichismo da mercadoria"), mas só que agora a partir de uma nova angulação de problematização. Já não se tratava apenas de avançar a questão inaugurada por Adam Smith a respeito das causas que levaram à forma mercantil moderna de socialização, ou mesmo de considerar hegelianamente a sociedade civil como nexo de sociabilidade alienado, fundado numa base efetivamente objetiva (e não meramente simbólica) de institucionalidade do real. A questão já não era mais explicar como sujeitos independentes (que não existem como tais) instituem conexões sociais, mas como, por um lado (questão 1), nexos (sociais) entre (classes) desiguais (de indivíduos) *aparecem no mercado como relações entre iguais* (ou seja, como a sociedade capitalista, sendo uma sociedade de classes, dissimula essa sua condição histórica)[45]; e como, por outro (questão 2), a reprodução dessa forma capitalista de relação social não se processa (como em outras civilizações) por meio de um movimento circular simples, mas sempre como movimento alargado, constantemente em expansão[46].

45. *Idem*, p. 59.
46. Como destaca Cosimo Perrotta, "o mecanismo que diferencia a produção capitalista daquelas precedentes". *In* C. Perrotta, "Il capitale costante nella critica di Marx ai classici", *in Critica Marxista,* n. 1, anno 16, Editori Riuniti, Roma, 1978, p. 166). Göran Therbom reforça também esse ponto de vista, asseverando que "a caracterização da economia capitalista Ocidental simplesmente como uma economia de mercado é uma grave distorção", decorrendo disso as limitações históricas e a inadequação teórica da análise da evolução do capitalismo próprias da Economia Política clássica. O principal esforço de crítica da Economia Política estaria em considerar, isso sim, "a inserção do mercado (no capitalismo) em um padrão mais alargado de deter-

A questão do mercado era, portanto, central para Marx, só que a explicação de seu dinamismo não poderia ser decifrada, tão-somente, a partir de uma leitura de suas manifestações mais epidérmicas. Permanecer neste plano analítico, sem investigar as demais instâncias constituintes do modo capitalista de produção, significava continuar navegando no mundo das aparências e, portanto, nas presas ideológicas da realidade reificada. Era necessário ir além da ponta do "iceberg", e mergulhar o olhar sobre o bloco da realidade submerso nas profundezas do oceano social moderno, para assim poder apreender a própria engenharia de seu *design* mistificado de superfície (estampado nas relações de mercado), isto é, da forma distorcida pela qual o real invertido (a desigualdade tornada "igualdade") vem expresso e reproduzido na visão dos agentes desse modo de produção. Sem, portanto, uma prévia explicação científica da própria *produção* do capital, dos fundamentos sociológicos explicativos de sua constituição como fenômeno *em si*, não haveria (para Marx) qualquer possibilidade de uma compreensão (também científica) de sua reprodução alargada, de seu movimento mais geral de realização configurado à superfície dos acontecimentos como espaço público de intercâmbio privado de mercadorias, "lugar da vontade geral", *mercado universal*.

É essa maneira de ver as coisas – e que depois "está na raiz dos vários conceitos de *valor,* de *dinheiro,* de *capital*" –, que faz com que a economia de Marx estabeleça uma ruptura com aquela de Smith e de Ricardo, pois a ciência econômica burguesa, *qua ciência*, ao transformar as relações fetichizadas de mercado em relações "naturais", apenas faz reproduzir, sob forma mais elaborada, a própria percepção alienada das relações humanas sob o capitalismo[47]. Se os três livros d' *O Capi-*

minação social" (isto é, levar em conta sua inédita natureza mundial). G. Therborn, "The Economic Theorists of Capitalism", *in New Left Review,* n. 87-88, London, 1974, p. 142. Tal é também a perspectiva de Immanuel Wallerstein, que lembra que, desde 1945, com o avanço das pesquisas sobre a sociedade feudal, o mercado deixou de ser *de per se* a categoria básica de definição do capitalismo. Cf. I. Wallerstein, "Braudel on Capitalism and the Market", in *Monthly Review,* n. 9, vol. 37, London, 1986, p. 12.

47. L. Colletti, "Marxism and the Dialetic", *in New Left Review,* n. 93, Londres, 1975, pp. 21-22.

41

tal foram conduzidos mais especificamente no sentido de dar uma resposta à primeira questão – explicando, pela revelação do segredo da mais-valia (Livro 1) e pelas razões de sua dissimulação no jogo concorrencial do mercado (Livros 2 e 3), a origem de todo o mistério para a aparente relação de "igualdade" entre sujeitos efetivamente desiguais –, a seqüência interrompida de todo o argumento resultaria (caso Marx tivesse chegado a tematizar, em livros específicos, as relações internacionais e o mercado mundial) numa exposição mais sistemática e condensada para a segunda questão, ainda que pistas substanciais já estejam formuladas no contexto de sua obra maior.

O tema do mercado, *qua mercado mundial*, tomado como conceito-síntese (*ponto de chegada*) de toda a concepção de Marx a respeito do capitalismo – este pensado como totalidade histórico-social –, teria de ser, assim, logicamente, o *cume* de todo o movimento teórico. Como, porém, no método dialético *avançar é retroceder* – como dizia Hegel, "um retroceder ao fundamento, ao originário e verdadeiro, do qual depende o começo com o qual se começou e pelo qual este efetivamente foi produzido[48] –, o fim (o mercado mundial) pressupõe assim (logicamente) o começo (a produção do capital), fim que, contudo, é o verdadeiro *ponto de partida* de toda inteligibilidade, o fundamento histórico e lógico originário que reveste de conteúdo significativo cada tijolo da construção marxiana da crítica da Economia Política. Somente cumprido todo esse percurso – e apenas dessa perspectiva – é que cada engrenagem, cada conceito, formulação teórica, fato empírico, aspecto estrutural destacado (o fetiche da mercadoria, o segredo da mais-valia, as formas aparentes de manifestação desta, a concorrência, o fenômeno da concentração/centralização, as crises cíclicas etc.) atinge a plenitude de sua significação lógica e histórica, de momento dialeticamente determinante e determinado de uma totalidade orgânica (econômico-político-cultural) de vitalidade e alcance mundiais. Somente uma vez arrematados os argumentos preliminares básicos e concluído todo o percurso lógico-explicativo prévio de elucidação das leis gerais de movimento do capital como modo

---

48. G. W. F. Hegel, *Wissenschaft der Logik*, livro I, vol. IV, p. 74.

de produção, ganharia então o *mercado mundial*, como tema (ao contrário do caminho seguido pela Economia Política clássica), todo o sentido maior de "síntese de múltiplas determinações" – e agora sem mais o perigo de mistificar o real-concreto nas armadilhas de suas manifestações mais aparentes.

Para o tema do mercado mundial – cumeeira de todo o edifício teórico marxiano e plano concreto de manifestação do capitalismo como sistema de dimensionamento, dinâmica e materialidade planetárias – erigiam-se, portanto, tijolo a tijolo (capítulo a capítulo, livro a livro) as paredes dos andares que lhe dariam suporte. Toda a esquematização analítica de Marx não estava destinada, tão-somente, à função primordial de fornecer uma explicação fundamental do *por quê* e *como* um sistema econômico baseado na "pura" anarquia de mercado, no qual a vida econômica parece ser determinada por milhões de decisões isoladas de compra e venda, não conduz a um caos contínuo e a interrupções constantes do processo de reprodução econômica e social – como destaca Ernest Mandel[49]. Além disso, além das complexas minúcias da "fisiologia" do modo capitalista de produção, era também a compreensão e a explicação da "anatomia" de todo o sistema que estava em causa, suas dimensões (e tendências) globais de ordenação e estruturação, fator esse, por sua vez, dialeticamente determinante da natureza e da pulsação de seus movimentos, potencialidades e contradições.

Como formula Pierre Dockès, se (no pensamento de Marx) é a diacronia que dita a sincronia, a estrutura (tomada como momento sincrônico do real), por sua vez (no caso, a estrutura das relações internacionais, o mercado mundial), reage sobre a própria evolução dessa estrutura: "Na obra de Marx, não se encontra análise sincrônica como fim em si mesmo, mas somente como meio para o estudo das conseqüências dessa estrutura sobre sua evolução"[50]. No limite – e esse é o núcleo do presente argumento –, a tematização do mercado mundial forneceria os elementos teóricos definitivos (e sufi-

---

49. Vd. E. Mandel, *Late Capitalism*, op. cit., p. 25.
50. Dockès, *L'Internationale du Capital*, Presses Universitaires de France, Paris, 1975, p. 144.

cientemente balizados por toda a longa e minuciosa construção teórica precedente) para Marx conceituar o capitalismo essencialmente como um *modo de produção mundial*. Ou, em termos mais atuais (ainda que o conceito, como tal, seja recente e não remissível a Marx), uma formação social em *processo de globalização*. Talvez, esta, a chave-mestra de todo o alcance de sua teoria; e, certamente, um dos feixes mais fundamentais e fecundos de sua (ainda) virtual atualidade.

2. O MERCADO MUNDIAL

O capitalismo não existe senão como decorrência da expansão progressiva do mercado, do alargamento supranacional das relações de troca, da dinamização centrífuga dos canais de comunicação humana abertos pelo comércio intercontinental. Historicamente falando, a circulação das mercadorias é o seu ponto de partida – como afirma Marx logo na abertura do capítulo 4 do livro 1 de *O Capital* –, mas a circulação *na sua forma mais desenvolvida,* na qualidade de *comércio* e *mercado mundiais* (grifos meus) datados desde o século XVI.

A consolidação do capitalismo como modo de produção supõe, historicamente, a constituição e a confluência de algumas condições materiais prévias, dentre as quais se destacam: 1) a acumulação do *patrimônio-dinheiro* e 2) o surgimento de uma massa de trabalhadores livres[1]. Isso envolve, em primeiro lugar, a preeminência de uma economia monetária baseada

---

1. Cf. *idem*, pp. 467-475.

45

numa produção voltada para a troca e, em segundo, a emergência de um amplo mercado de trabalho (livre), isto é, de um contingente de braços desocupados e destituídos dos meios imediatos de trabalho (como a terra etc.) necessários à própria sobrevivência[2]. Contudo, a simples conjugação desses dois fatores – associados certamente a outros tantos (como o desenvolvimento das cidades, das manufaturas domésticas e corporações urbanas, o crescimento demográfico, as novas descobertas científicas etc.) – não é suficiente para explicar a forma capitalista de produção e de troca (fundada na mais-valia) como forma *generalizada* (predominante) de uma época. A gênese da *era do capital* envolve, outrossim, a verificação das implicações mais universais das transformações econômicas, políticas e sociais que estavam a ocorrer na Europa, ou – no dizer de Shlomo Avineri – que a *universalidade* se constituísse também em uma *"dimensão geográfica"*[3].

> Marx mostra como a sociedade civil (a partir da Europa) cria as necessidades para cuja satisfação é requerido um *mercado universal* (grifo meu). Disto emerge uma unidade de amplitude-mundo nos modos de produção e no estilo de vida, mais ainda desenvolvidos e acentuados através de cada etapa sucessiva de expansão da civilização européia capitalista. A singularidade da civilização ocidental [...] repousa na sua capacidade de universalização; nenhuma outra sociedade humana desenvolveu esta capacidade[4].

Marx chama constantemente a atenção para o papel que cumpre, histórica e logicamente, a *mundialização das relações de troca* na configuração de um modo de produção de

---

2. O que pressupõe a dissolução da forma medieval da relação do trabalhador com a terra: a dissolução das relações de propriedade do trabalhador com os instrumentos de trabalho; em suma, a dissolução dos vínculos diretos entre trabalhadores e condições objetivas de produção.

3. "Se o lucro é a organização do capital sob a determinação do tempo – argüi Antonio Negri –, o *mercado mundial é a organização do capital sob a determinação do espaço*. Em Marx, o processo de constituição do mercado mundial segue, por isso, os ritmos de constituição do lucro, seja formalmente como substancialmente. O fato que nos *Grundrisse* (mas também nas obras posteriores) essa identificação não seja plenamente realizada, nada destrói a formidável atualidade dessa hipótese". A. Negri, *Marx oltre Marx, op. cit.*, p. 128.

4. S. Avineri, *The Social & Political Thought of Karl Marx*, Twelveth Reprinting, Cambridge University Press, Cambridge, 1993, p. 165.

mercadorias. A ruptura com os limites locais ou regionais tradicionais do comércio – onde as trocas se realizavam unicamente por meio do intercâmbio de excedentes – é condição *sine qua non* para a afirmação do valor de troca e sua determinação pelo tempo de trabalho abstrato. Não há capitalismo em escala simplesmente local. É a dinamização do movimento da circulação de mercadorias (progressivamente mundializado) que vai afetar o conjunto da produção, cujo localismo pretérito passa a ser, cada vez mais, tensionado pela intensidade da ação do comércio exterior.

A título de ilustração, Marx cita o caso da Inglaterra, que entre meados do século XVI e começo do XVII presenciou o desmantelamento de seu antigo sistema de pequeno arrendamento de terras face à necessidade de transformar as pequenas propriedades agrícolas em grandes pastos de ovelhas destinados à produção de lã, produto básico da contrapartida inglesa no intenso intercâmbio comercial que se havia estabelecido com a Holanda à época. O fato é pedagogicamente exemplar. A revolução comercial não se deteve na criação formal de valores de troca; necessariamente evoluiu até submeter a própria produção à mesma lógica. "A redução de todos os produtos e de todas as atividades a valores de troca pressupõe tanto a dissolução de todas as rígidas relações de dependência pessoais (históricas) na produção, como a dependência recíproca geral dos produtores"[5]. Em outras palavras, o sistema feudal é paulatinamente substituído por uma outra lógica de sociabilidade em que as relações pessoais se apresentam, agora, como uma simples emanação das relações de troca e de produção, no contexto de uma dinâmica econômica em que as trocas privadas já evoluíram ao circuito do comércio internacional, a independência privada (local, restrita) a uma dependência completa em relação ao mercado mundial e, as trocas fragmentadas e episódicas, ao imperativo racional e dinâmico de um sistema bancário e de crédito em franca expansão.

Aqui, o contexto se apresenta radicalmente diverso daquele que predominou em modos de produção pré-capitalistas, em que os indivíduos se identificavam diretamente com a família,

---

5. K. Marx, *Grundrisse*, op. cit., p. 83.

a tribo ou a comunidade, em bases diretamente naturais e pessoais. No capitalismo, a força social do mercado, da universalização do valor de troca como forma-padrão genérica de sociabilidade, dinamizada e alargada pela pulsação de uma circulação frenética de contornos mundiais, desloca e fragmenta os indivíduos, os grupos e as nações de suas bases de identidade pretéritas, subordinando-os a relações que subsistem independentemente de cada particularidade e que se reproduzem mediante a concorrência de indivíduos e grupos reciprocamente indiferentes, transformando o caráter social da atividade produtiva, a participação do indivíduo na produção e a forma social do produto em algo que escapa ao controle das partes, com caráter de "coisa" (poder autônomo) frente aos indivíduos. "Os indivíduos estão subordinados à produção social, que pesa sobre eles como uma fatalidade"[6]. O mercado mundial (os efeitos de sua dinâmica) passa a ser, cada vez mais, o novo nexo do indivíduo com o conjunto da sociedade; nexo este que, porém, vai adquirindo autonomia em relação às partes, apresentando-se aos indivíduos como um poder estranho que se lhes escapa ao controle[7]. Espécie de "*gaiola de ferro*" marxiana.

6. *Idem*, p. 86. A concepção de mercado como *imperativo*, como uma dinâmica estrutural universal que *compele* os indivíduos (ainda que contra a sua vontade) a se sujeitarem a uma determinada ordem de coisas, é, como faz notar Ellen M. Wood, uma das rupturas teóricas mais radicais com a tradição liberal-clássica, que concebe o mercado como o lugar das *oportunidades,* do exercício da liberdade (outrora limitada e constrangida pelos artifícios políticos e culturais próprios das formações sociais pré-capitalistas) e que encontra no seio da "sociedade comercial" (o capitalismo) – o "estágio superior do progresso" – sua plena realização. Baseando-se nas contribuições de Karl Polanyi, particularmente em seu clássico trabalho *The Great Transformation* (1944), Wood argüi que o que distingue e caracteriza o mercado capitalista não é a *oportunidade* ou a *liberdade de escolha,* mas, ao contrário, a *compulsoriedade*; o fato de que, dada a mediação universal do mercado em todo o processo de reprodução social e da vida material, todos os indivíduos *devem*, de uma forma ou de outra, "entrar nas relações de mercado em função de obter acesso aos meios de vida" (p. 15). A ditadura do mercado capitalista – seus imperativos de competição, acumulação, maximização do lucro e aumento da produtividade – "regula não apenas todas as transações econômicas, como as relações sociais em geral" (*idem*). *In* E. M. Wood, "From opportunity to imperative: the history of the market", *in Monthly Review*, n. 3, vol. 46, London, 1994.
7. Cf. K. Marx e F. Engels, *A Ideologia Alemã*, vol. I, citado, p. 46.

No limite, a produção capitalista (vista na sua totalidade) só pode existir e persistir, *no tempo,* nos contornos de um mercado altamente desenvolvido (supranacional, mundial), na medida em que a preeminência de uma institucionalidade baseada na criação de valores de troca pressupõe uma dinamização progressiva e ininterrupta do comércio a partir de um certo patamar e de uma certa escala de circulação das mercadorias. A força dinâmica do mercado (alargado), como um poder irresistível que se impõe sobre os homens e que os condena à escravização do império das *coisas* e das manifestações fenomênicas mistificadas é, para Marx, o verdadeiro substrato histórico explicativo do (por assim dizer) *combustível* do capitalismo; o *background* de toda a sua análise teórica, que jamais é perdido de vista, mesmo nos momentos de suas formulações mais gerais e abstratas, quando está concentrado em dar, fundamentalmente, uma inteligibilidade mais *lógica* à dinâmica interna dos fenômenos sob investigação.

Nesse sentido (e como exemplo), vale o registro da observação de Marx aposta num dos parágrafos finais do decisivo capítulo XLVIII do livro terceiro de *O Capital*, dedicado à exposição de sua famosa "fórmula trinitária" do valor (capital-lucro/juro, terra-renda fundiária, trabalho-salário). Este capítulo, que poderia muito bem ser denominado "o fetichismo do capital" – versão mais desenvolvida do capítulo primeiro da obra destinado ao exorcismo do "fetichismo da mercadoria" –, representa uma arguta e minuciosa análise crítica (e ao mesmo tempo satírica) dos pressupostos básicos da teoria econômica burguesa relativamente à explicação (mistificada) para a(s) fonte(s) original(árias) do valor e as formas que ele se reveste no mundo fenomênico do capital (lucro/juro, renda fundiária e salário; ou seja, para a forma aparente de *ser* da sociedade burguesa constituída. O estilo sintético da exposição, quase na qualidade de uma *recapitulação resumida* das "aulas" mais essenciais dos capítulos precedentes, tem por finalidade reavivar a memória e reafinar o olhar do leitor para o segredo último de toda a mecânica (ou "cibernética"?) do modo capitalista de produção: a instituição (velada) da mais-valia e sua ocultação pela dinâmica de um tipo de sociabilidade que transfere, aos seus próprios produtos, na condição de mercadorias, os vínculos (assim *coisificados*) de sua interatividade (alienada). Pois bem. Ainda que, neste momento, ao examinar as formas manifestas do valor na superfície da sociedade burguesa, Marx esteja priorizando uma análise preponderantemente *lógica* do fenômeno e das causas de sua fetichização, ele não se furta a sugerir (ainda que *en passant*) que, num segundo momento, essa mesma lógica de compreensão básica do movimento do capital deveria saltar para um nível superior de complexidade (menos "puro" que o simples modelo explicativo criado), onde ocorre a

> transformação do lucro em lucro médio e dos valores em preços de produção, nas médias reguladoras dos preços de mercado, [interferindo aí] complexo processo social, o do nivelamento dos capitais, que dissocia os preços médios relativos das mercadorias de seus respectivos valores, e os lucros médios nas várias esferas de produção da exploração real do trabalho pelos capitais particulares envolvidos[8].

Em outras palavras, a análise lógica tem de ser ainda desenvolvida e formatada por um acabamento que deveria levar em conta a dimensão *histórica* em que o processo realmente se efetiva, e que é determinada pelas interferências concretas do *mercado mundial:*

> Ao apresentar a reificação das relações de produção e a autonomia que elas adquirem *vis-à-vis* aos agentes da produção, nós não adentramos na forma e na maneira pelas quais essas conexões aparecem para elas como irresistíveis leis naturais, governando-as arbitrariamente, na forma que o mercado mundial e suas conjunturas, o movimento dos preços de mercado, os ciclos da indústria e do comércio e a alternância de prosperidade e crise que se lhes prevalece como necessidade cega. Isto ocorre porque o movimento real da concorrência está fora do nosso plano [isto é, no contexto daquele capítulo, já que o *mercado mundial* seria tema específico num momento posterior da obra][9], sendo nosso propósito apenas apresentar a organização interna do modo capitalista de produção, sua média ideal, por assim dizer.[10]

Toda a arquitetura da teoria marxiana do capitalismo parte do pressuposto de que o processo *lógico* e *histórico* de pro-

8. K. Marx, *Capital*, vol. 3, *op. cit.*, cap. 48, p. 967 [e.b., livro 3; vol. 6, cap. XLVIII, p. 951.]
9. Observação do autor.
10. K. Marx., *Capital*, vol. 3, *op. cit.*, cap. 48, pp. 969-970 [e.b., livro 3, vol. 6, cap. XLVIII, p. 953].

dução do capital (de sua permanente valorização) efetiva-se pela conjunção e conjugação dos processos de produção e de circulação propriamente ditos, *como momentos de uma mesma e única totalidade*. Envolve, assim, por um lado, um tempo destinado à *produção* de valores de troca, por outro, um tempo destinado à *circulação* dessas mercadorias. A unidade desses dois momentos constitui-se *processo*, movimento de rotação do capital que retorna a si mesmo, ciclo de sua própria reprodução. Essa diferenciação temporal (que também é espacial) da processualidade reprodutiva do capital se expressa por meio da materialização concreta de formas distintas de sua manifestação: o momento produtivo, na qualidade de capital *fixo*; a circulação das mercadorias – o momento da realização do valor – na de capital *circulante*. Ambos, porém, nada mais são que simples determinações *formais* do capital *em geral*. "Por conseguinte, o capital circulante não é, de saída, uma forma *especial* do capital, senão *o* capital em uma determinação mais desenvolvida, como sujeito do movimento descrito, o qual é o capital mesmo como seu processo de valorização. [Portanto], desde esse ponto de vista, todo capital é também *capital circulante*[11]. Ou seja, é no mercado que o capital total *se realiza*, ganha o oxigênio necessário para novas e mais amplas investidas, efetiva a mais-valia: "O comércio de mercadorias é pressuposto, como uma função do capital mercantil, e se desenvolve cada vez mais com o desenvolvimento da produção capitalista"[12].

Esse deslocamento do olhar de Marx para o momento da *circulação* baliza não apenas uma leitura do capitalismo sob o ângulo do mercado (capitalismo = mercado), mas chama a atenção para a importância essencial que o momento da circulação detém no movimento global de reprodução do capital. Considerado na sua totalidade, o momento da circulação é apresentado por Marx sob três ângulos (ou modelos sintéticos), todos tendo por objetivo comum indicar, por meio de *fórmula lógica*, o incremento do valor (riqueza acumulada)

---

11. K. Marx, *Grundrisse*, vol. 2, *op. cit.*, p. 131.
12. K. Marx, *Capital*, vol. 2, *op. cit.*, cap. 4, p. 191 [e.b., livro 2, vol. 3, *op. cit.*, cap. IV, p. 113].

ao final de cada ciclo de rotação do capital, isto é, apresentando-se o movimento de rotação do capital na sua condição real e tendencial de produção e realização de mais-valia em quantidade cada vez maior, em escala cumulativa e crescente (reprodução ampliada do capital):

I) D-M (F + Mp) ... P ... M'-D'

II) P ... C ... P

III) C ... P (M')[13]

Todas as três formas visualizam os processos globais de produção (P) e circulação (C) como constituintes de um único e integrado movimento de reprodução da totalidade do capital (movimento da soma dos capitais individuais), em que cada momento é, ao mesmo tempo, premissa e conseqüência, causa e resultado, condição e produto de sua ação recíproca. Seja tomado como ponto de partida da análise, como no primeiro caso, o dinheiro (D) que compra mercadoria (M), que entra na produção (P) sob a forma de força de trabalho (F) e matéria-prima (Mp), seja a análise procedida da produção (P) para a circulação (C), como no segundo caso, ou da circulação (C) para a produção (P), no caso terceiro, o que busca Marx ressaltar é, além do fato já apontado desses momentos se constituírem num único movimento do capital em geral, a escala ampliada dessa reprodução que resulta ao final de cada ciclo (simbolizada por M' e D'). Cada começo de um ciclo de rotação é um estádio reprodutivo que já incorporou a acumulação de estádios anteriores, começando e terminando, portanto, sempre com o valor acrescido – mesmo quando se repete o movimento na mesma escala.

A reprodução do capital em cada uma de suas formas e em cada um de seus estádios é contínua, como é a metamorfose dessas formas e a passagem sucessiva pelos três estádios [...] Todas as partes do capital se movem através de um processo cíclico, encontrando-se simultaneamente em todos os seus vários estádios (seja do capital produtivo ou circulante) [...] e o curso circular de cada forma funcional determina aquele das demais"[14].

13. Vd. *Idem*, cap. 4 [e.b., capítulo IV].
14. *Idem*, pp. 181-184 [e.b., pp. 103-106].

Vislumbrado globalmente, portanto, o capital se encontra sempre justaposto e em movimento nas três fases simultaneamente, percorrendo o valor diversas formas, deslocamentos e cadências, *mas sempre em crescimento (acumulação) progressivo,* o que corresponde a escalas cada vez mais ampliadas do processo de venda (de troca), dos raios de incidência da circulação. Além do mais, da perspectiva do mercado é secundário, de onde provém o produto ou o caráter do processo de produção. Importa, aqui, que tudo se transforma em mercadoria (coleção de mercadorias), e que do alargamento do mercado depende aquele da produção – de C depende P, conquanto M' e/ou D'.

Toda essa explicação teórica – a partir da ótica da circulação – para o ciclo da reprodução global do capital em sua pureza lógica, encarna-se, contudo, *se transportada para o plano concreto da história,* sob combinações extremamente complexas. Pois não são então apenas formas do capital que se intermetamorfoseiam simultânea e continuamente (capital-mercadoria em capital-dinheiro, que depois se transforma em capital produtivo etc.), ou porções de capitais que, ao longo dessa aparente parafernália, repartem-se desigualmente entre os vários estádios e entre capitais e ramos individuais, com interrupções e realizações, avanços e recuos, perdas e transferências. Para Marx, o pano de fundo histórico para todo o movimento lógico da circulação global do capital (sua reprodução ampliada) é sempre o *mercado mundial,* o diâmetro efetivo do mundo, o que envolve, além de todos os aspectos indicados, combinações entre culturas e modos de produção diferenciados, mediante processos de subordinação, mesclagem, extinção, aculturação, transculturação e todo tipo de operação submetida ao bisturi do capital, envolvendo formas e estágios diversos de divisão do trabalho e de desenvolvimento tecnológico, mas tudo concorrendo para o estabelecimento e a consolidação de um sistema econômico (e político) *mundialmente articulado,* ainda que de maneira desigual.

O patamar real da reprodução do capital, portanto (e no limite), é o *mercado mundial,* que se configura assim, ao mesmo tempo, como:

a) campo concreto da existência histórica do capital e circuito básico de realização de seus ciclos de reprodução;

b) espelho real de suas múltiplas manifestações aparentes (conformações societárias diversas tensionadas ou transformadas por sua ação);

c) diâmetro efetivo da dinâmica da circulação e da reprodução do capital como totalidade;

mas, também,

d) *locus epistemológico* estratégico para a apreensão do capitalismo como formação social *mundial;* como modo de produção que, ao se dinamizar, conjuga uma multiplicidade de elementos, instâncias e estruturas sociais, interligando, tensionando e combinando, *ao mesmo tempo e de forma desigual,* povos e culturas os mais diversos, num patamar historicamente inédito de interatividade. Um capítulo da evolução humana em que cada particular (cada tribo, comunidade, nação, região e hemisfério) passa a estar sobredeterminado por uma dinâmica processual de sociabilidade (condicionada, em última instância, por motivações econômicas) que ultrapassa as escalas civilizatórias pré-modernas e que funde, num todo orgânico planetário (como um gigantesco organismo regado pelo mesmo sangue e pelas mesmas veias), os quatro quadrantes do globo.[15]

Não por menos a revolução nos meios de comunicação e transportes despontava, para Marx, como um dos desafios medulares à consolidação do sistema capitalista como um todo, e como condição primordial da própria acumulação. E não por acaso – como lembra em *Teorias da Mais-Valia* – a indústria de transporte (como "quarta esfera da produção material") vivera também, tal qual a indústria extrativa, a agricultura e a manufatura, todas as etapas distintas da revolução produtiva

---

15. Nessa perspectiva, tecendo alguns comentários a respeito da interdependência das relações internacionais no contexto da sociedade capitalista mundial, diz R. Stojanovic: "...combinadas, interdependência e autarquia (das nações) dão ascensão a várias formas de relação entre as sociedades. Todos os parceiros nas relações internacionais formam pares que são, em diferentes níveis de interdependência, um fato que também conduz à emergência de formas variadas de relações internacionais". R. Stojanovic, "Interdependence in International Relation", *in International Social Science Journal*, vol. XXX, n. 2, 1978, p. 238.

na Europa, desde a indústria artesanal e a manufatura, até a indústria mecânica[16].

Numa economia de mercado mundial, num circuito interativo que necessita ligar Liverpool a New York ou a Inglaterra à Austrália, "a distância do mercado onde as mercadorias são vendidas e o seu local de produção" é sempre causa de "diferenciação no tempo [...] de rotação"[17], interferindo diretamente no ciclo de reprodução do capital. Ainda que a criação do valor seja um fenômeno restrito ao momento da produção, os custos da circulação (que são custos da divisão do trabalho e do intercâmbio) atingem diretamente sua composição, na medida em que representam *deduções* deste. "Os *custos de circulação* enquanto tais *não põem valor*, já que são apenas *custos da realização dos valores*"[18]. Estamos, assim, diante de uma supressão relativa dos valores circulantes, sendo os custos da circulação – enquanto tempo "supérfluo", tempo de-não-trabalho, não-criador-de-valor – uma barreira à produtividade do trabalho permanentemente desafiada pela produção capitalista. Do que se depreende que, quanto maior a velocidade da circulação (de realização da mais-valia), maior a valorização do capital em geral: "A valorização total do capital, pois, está determinada pela duração da fase de produção (...) multiplicada pelo número das rotações, ou renovações desta fase de produção em um lapso dado"[19].

Ora, a maior ou menor quantidade dessas rotações num dado período, depende não apenas da capacidade tecnológica instalada do setor produtivo, mas também do tempo de realização dos valores criados, isto é, da dinâmica de sua circulação, da coincidência entre a renovação do processo produtivo e sua finalização. Daí porque a diminuição dos custos de circulação – diferentemente das formas sociais de produção precedentes – impõe-se como tarefa permanente e essencial para o capital; e a redução do tempo e do espaço

---

16. Cf. K. Marx, *Theories of Surplus-Value*, vol. 1, *op. cit.*, p. 412.
17. *Idem, Capital*, vol. 2, *op. cit.*, cap. 14, p. 327 [e.b., livro 2, vol. 3, p. 264].
18. *Idem, Grundrisse*, vol. 2, *op. cit.*, p. 137.
19. *Idem*, p. 141.

que separam os momentos da produção e da circulação – no limite, "a circulação sem tempo de circulação"[20] –, seu ideal mais sublime. A conseqüência dessa dialética intrínseca ao modo de produção capitalista teria de resultar em estratégias concretas de redução do tempo de circulação, seja pelo desenvolvimento dos meios de comunicação e transporte ou por meio da invenção de mecanismos formais de redução artificial desse movimento – como o crédito –, seja pela criação de um mercado de natureza contínua, em permanente expansão, que transformasse todos os espaços supostos de circulação em centros produtivos da mesma.

Os meios de comunicação correspondem aos meios modernos de produção, mesmo porque eles também têm servido de base às enormes sociedades por ações, constituindo, ao mesmo tempo, um novo ponto de partida para todas as outras sortes de sociedades por ações, a começar pelas sociedades bancárias. Eles têm dado até agora, em uma palavra, um impulso insubstituível à concentração do capital e também à atividade cosmopolita acelerada e imensamente desenvolvida do capital de pronto, encerrando assim o mundo inteiro dentro de uma rede de patifarias financeiras e de endividamento recíproco, a forma capitalista da fraternidade "internacional"[21].

Por isso é que o capital, desde a sua gênese, representa uma cruzada global que tende a conquistar toda "a Terra como seu mercado"[22], anulando o espaço por meio da redução do tempo relativo de sua rotação:

Se o progresso da produção capitalista e o conseqüente desenvolvimento dos meios de transporte e de comunicação reduzem o tempo de circulação para uma dada quantidade de mercadorias, o mesmo progresso e a oportunidade gerada pelo desenvolvimento desses meios introduzem a necessidade de trabalhar para mercados cada vez mais distantes, [isto é] em uma palavra, para o mercado mundial[23].

20. *Idem*, p. 143.
21. Carta de Marx a Danielson (10/4/1879), *in* K. Marx e F. Engels, *Lettres sur "Le Capital"*, *op. cit.*, p. 294.
22. K. Marx, *Grundrisse*, vol. 2, *op. cit.*, p. 31.
23. K. Marx, *Capital*, vol. 2, *op. cit.*, cap. 14, p. 329 [e.b., livro 2, vol. 3, cap. XIV, p. 266].

O mercado é a trajetória espacial da circulação do capital. A circulação, seu processo vital, seu *devir* em crescimento constante. Quanto mais desenvolvido o capital, tanto mais extenso será o mercado. Logo, o mundo, o planeta por inteiro, é o limite *mínimo* desse movimento de expansão. O que determina que o mercado mundial, além de pressuposto (ponto de partida), terá de ser, lógica e historicamente, o capítulo final da epopéia, já que "os modos de produção nos quais a circulação não constitui a condição imanente, dominante da produção, desde logo não [têm] as necessidades de circulação específicas do capital e, portanto, tampouco elaboraram quer as formas econômicas, quer as forças produtivas reais correspondentes a essas necessidades"[24].

Como bem notou Rosa Luxemburgo,

"a dominação e o poder do capital espalham-se por toda a terra pela criação de um mercado mundial, [como] o modo capitalista de produção espalha-se também pouco a pouco sobre todo o globo, (...) [sendo] uma necessidade inerente e uma lei vital da produção capitalista não permanecer estável, expandir-se sempre cada vez mais depressa (...) produzir cada vez mais depressa enormes quantidades de mercadorias em empresas cada vez maiores..."[25]

Para Marx, o estabelecimento de um mercado capitalista, mundial, *já era capitalismo,* ainda que a consolidação desse modo de produção decorresse da transformação do processamento técnico da produção em si (consagrado pelo do *modo especificamente capitalista de produção* resultante da Revolução Industrial). O mercado mundial é não somente a primeira manifestação da natureza tendencialmente *global* desse modo de produção, mas o diâmetro necessário de sua reprodução como tal[26]. O comércio que criou os primeiros

24. K. Marx, *Grundrisse*, vol. 2, *op. cit.*, p. 34.
25. R. Luxemburgo, *Introdução à Economia Política,* trad. de Celso Leite, Martins Fontes, São Paulo, s/d, p. 349.
26. Cesare Luporini observa, corretamente, que a criação de um mercado mundial (pela primeira vez na história), e tudo aquilo que se seguiu, não pode ser considerado uma derivação acidental da formação social capitalista, estranha ao seu conceito. Seja a clivagem que coloca em relevo o conceito de capitalismo como "sistema articulado de diversos países" mediado pelo mercado, seja aquela que acentua o de formação como "sistema real único" (sistema dos sistemas), ainda que internamente antagônico e

vínculos do capital com os continentes fora da Europa, não apenas incorporou esses espaços ao circuito da produção do valor (subsumindo-os à lógica do lucro e da exploração), como também serviu como mecanismo que transformou, desde o início, as próprias relações de produção nesses contextos, determinando progressivamente os formatos da estrutura produtiva que pouco a pouco foram se impondo a esses povos, não obstante resquícios subordinados de sistemas pré-capitalistas secundariamente sobreviventes.

Não há, em Marx, uma concepção de capitalismo como formação social (ou modo de produção) necessariamente *homogênea* ou *pura* (conforme, por vezes, transparece nas críticas de Rosa Luxemburgo[27]), mesmo porque, para ele, capitalismo não significa tanto um "formato ideal", mas uma forma historicamente singular de relação social (de produção) *em processo contínuo e contraditório de constituição* (em *devir* permanente) *à escala mundial*[28]. Além do mais, há que se considerar, nesse caso, a observação de Mészáros segundo a qual Marx escreveu o volume I de *O Capital* buscando analisar o processo específico de produção *do capital em si,* e não *do capitalismo* (como sistema *in totum); tanto* que o subtítulo da brochura fora denominado, originariamente, de "O Processo de Produção *do Capital*"[29], posteriormente traduzido e publicado sob a supervisão de Engels como "Uma Análise Crítica da Produção Capitalista" – o que implica em algo um tanto quanto diferente[30]. Rosa devia

desigual, ambas estão indubitavelmente presentes no pensamento de Marx, em sua concepção alargada e dinâmica do capitalismo como modo de produção de respiro mundial. Cf. C. Luporini, *op. cit.*, p. 11.

27. R. Luxemburgo, "A Acumulação do Capital – Uma Anticrítica", *in* R. Luxemburgo e N. Bukharine, *Imperialismo e Acumulação do Capital*, trad. de Inês Silva Duarte, Edições 70, Lisboa, s/d.

28. M. Castells, *A Teoria Marxista das Crises Econômicas e as Transformações do Capitalismo*, trad. de Alcir Henriques da Costa, Paz e Terra, Rio de Janeiro, 1979, p. 77.

29. Cf. Carta de Marx a J. Becker (organizador da seção da I Internacional na Suíça), de 17 de abril de 1867, na qual anuncia ao amigo a publicação do primeiro tomo de *O Capital*, cujo primeiro volume compreende o primeiro livro: "Processo de Produção do Capital". *In* K. Marx e F. Engels, *Lettres Sur "Le Capital"*, *op. cit.*, p. 156.

30. Para István Mészáros, essa distinção conceitual entre *capital* e *capitalismo* é fundamental na medida em que o capital (como relação de pro-

saber que Marx nunca conceberia, senão por razões meramente lógicas (em vista de uma exposição cientificamente clara), uma sociedade capitalista "abstrata", "pura" ou "isolada", mesmo porque isso seria, do ponto de vista do materialismo histórico, uma impossibilidade e um contra-senso. Logo, essa "lacuna" decorre não do conteúdo de *O Capital*, mas da perda de visão da totalidade da obra e de seu método de exposição por parte da leitora. Pelo contrário, em Marx se encontra uma concepção de capitalismo que desde suas origens (por meio do comércio) estendeu por todas as partes e em todas as épocas a sua influência à "periferia" originariamente não-capitalista, incluindo-a dinamicamente ao sistema produtor do lucro. No limite, não há (nem nunca houve) capitalismo sem subsunção formal de outros modos de produção à rotação do mercado mundial[31], fato este enfatizado por Bukharine em seu *Imperialismo e Economia Mundial* (1917), segundo o qual a economia mundial capitalista é um *sistema articulado de relações de produção ligadas umas às outras pelas relações de troca e dominadas pelo mercado capitalista mundial*[32].

dução) não apenas se constitui em fenômeno que historicamente antecede o próprio capitalismo (ainda que na condição de forma social subordinada e secundária), como também tende a sobreviver ao próprio capitalismo até que a divisão social do trabalho tenha sido superada com sucesso. Diversamente, o capitalismo representa um *período histórico particular* dominado pela relação capitalista de produção, durante o qual: a) a *produção para a troca* (dominação do valor-de-uso pelo valor-de-troca) é por completo penetrante; b) a *força-de-trabalho*, ela própria, como todas as demais coisas, é (são) tratada(s) como *mercadoria*; c) a direção para o *lucro* é a força regulatória fundamental da produção; d) o mecanismo vital de *extração da mais-valia*, a radical separação dos meios de produção dos produtores diretos, assume uma *forma econômica inerente;* e) a mais-valia economicamente extraída é *apropriada privadamente* pelos membros da classe capitalista; e, finalmente (o que vai ao encontro dos argumentos até aqui salientados, ratificando-os), f) seguindo seu próprio *imperativo econômico* de crescimento e expansão, a produção do capital tende na direção da *integração global,* por meio da intermediação do mercado mundial, como um sistema de dominação econômica e subordinação totalmente interdependente. *In* I. Mészáros, *Beyond Capital, op. cit.*, pp. 912-913.

31. C. Napoleoni, *Lições sobre o Capítulo VI (Inédito) de Marx,* trad. de Carlos Nelson Coutinho, Ciências Humanas, São Paulo, 1981, pp. 67-75.

32. Vd. N. Bukharine, *O Imperialismo e a Economia Mundial,* 2ª edição, trad. de Aurélia Sampaio Leite, Laemmert, Rio de Janeiro, 1969.

Pierre Dockès, a esse respeito (e influenciado pelo pensamento de Rosa Luxemburgo), mais recentemente voltou a afirmar o papel cumprido pelo mercado mundial na determinação da evolução pela qual historicamente veio sendo conformada a estruturação do capitalismo nos dois últimos séculos, até sua formatação hodierna de *transnacionalidade*. Dockès entende que, para Marx, desde o início da revolução comercial (mercantilismo), o capitalismo pode ser visto como um modo de produção em contínuo processo de expansão, que evolui de formas mais nacionais, localizadas a zonas restritas de incidência, para uma propagação em dimensões sempre mais mundializadas, integrado capilarmente, o capital, à dinâmica do mercado mundial. Para esse autor, a evolução dialética do capitalismo dar-se-ia pelo que denomina *"propagação-mundialização"*, querendo significar, com esse conceito, exatamente a passagem entre um patamar restrito da formação do valor para aquele estruturado em plano mundial.

O capitalismo jamais ter-se-ia tornado um modo de produção dominante se não alçasse seu dinamismo *a um plano internacional*, do que decorre ser o mercado mundial a verdadeira *base material* de seu movimento. Se a súbita expansão do comércio, nos primórdios da época moderna, está amparada já na existência de um interesse capitalista mercantil em consolidação na Europa (forma pretérita de capital), uma vez criado o mercado mundial, este passa a exercer "uma influência preponderante sobre o declínio do antigo modo de produção e sobre o florescimento do sistema de produção capitalista"[33]. Uma vez instalada essa nova dinâmica das relações de produção, a continuidade do trajeto e da reprodução do sistema não poderá mais ser outra que *novas ondas de mundialização*:

> O recurso ao mercado mundial, ao realizar a mais-valia, torna possível sua capitalização e, portanto, o alargamento da escala de produção, do que decorre um novo crescimento do valor produzido e uma impossibilidade maior ainda de realizá-lo, na medida em que o consumo dos trabalhadores não aumenta à mesma proporção; a realização do excedente ampliado não

---

33. P. Dockès, *L'Internationale du Capital*, op. cit., p. 147.

pode ser então obtido senão através de um novo alargamento do mercado externo[34].

Essa tese luxemburguiana de Dockès conduz, logicamente, a conceber o capitalismo como uma força que vai se propagando progressivamente em termos espaciais, sempre a partir daquilo que denomina "*foco*" dinâmico (central) de todo o movimento sistêmico (e que em cada fase da evolução do capitalismo se situa em algum país ou conjunto de países ou regiões) e que vai favorecendo o desenvolvimento das forças produtivas do "centro" para a "periferia" como um movimento em círculos sempre mais amplos, no interior dos quais as regiões mais próximas ao "foco" tendem a desenvolver-se mais que aquelas mais afastadas, estas tendencialmente condenadas à miséria e ao subdesenvolvimento. Esse movimento se processa sempre em função da acumulação capitalista, seja por meio da troca desigual (como predominou no início) ou pelas transferências de emprego de capital produtivo, o que explicaria, em seguida, o imperialismo. Nesse sentido, para o autor, "um verdadeiro [isto é, consolidado] foco da economia mundial *capitalista* não se criará [historicamente] até que o capital mercantil tenha sido dominado pelo capital industrial na Inglaterra, com uma terceira vantagem: as diferenças espaciais de produtividade"[35].

Desde o século XIX – continua Dockès – a especialização internacional do trabalho está fundada, tão-somente, sobre o desenvolvimento do maquinismo no centro. Esta especialização não é explicável num momento dado, mas é produto do desenvolvimento da grande indústria mecanizada no centro do espaço invadido pelo capital e imposta pelos países desenvolvidos, 'arruinando pela concorrência [e aqui Dockès cita Marx] a mão-de-obra indígena, [e transformando] forçadamente as regiões estrangeiras em campo de produção de matérias-primas de que carece, (...) [convertido, assim] parte do globo em campo de produção agrícola para a outra parte que se torna o campo de produção industrial por excelência[36].

34. *Idem*, p. 158.
35. *Idem*, p. 163.
36. *Idem*, pp. 166-167. Essa tendência do desenvolvimento desigual capitalista vem devidamente ilustrada por meio das análises de Marx sobre a "questão irlandesa" em que, no quadro de um estudo de caso, vem desmascarada a falsa "naturalidade" ou "fatalidade" dos processos econômicos

61

E ainda que essa divisão mais bipolar da divisão internacional do trabalho tenha sido, em parte, alterada pelo capitalismo em sua fase imperialista-monopolista ou naquela mais recente do capital mundial-transnacional, ainda assim, para o autor, a explicação para a reprodução contínua do "foco", na história, dar-se-ia, até hoje, sempre em detrimento da periferia, o que significa conceber, até nossos dias, processos diferenciados (mas qualitativamente semelhantes) de *acumulação primitiva* (para o autor, chave de explicação de todo o processo).

A teoria da mundialização do capitalismo como expressão da constituição de um sistema econômico global integrado (combinado), ainda que desigual, está presente na melhor tradição do marxismo clássico e contemporâneo, e certamente encontra sua raiz no pensamento do próprio Marx. Desde Lênin, Trotsky, Rosa Luxemburgo e Bukharin[37], o horizonte de todo o entendimento do processo de desenvolvimento do capitalismo e de sua configuração material é dado a partir dessa escala de equacionamento. Exemplar, nesse sentido, é o texto de Trotsky a respeito do desenvolvimento do capitalismo na Rússia e de suas particularidades próprias inerentes à condição, à época, de um país eminentemente agrário e tecno-

e sociais próprios do capitalismo, e, em especial, a especialização desigual da produção em escala internacional, condicionada pela dinâmica do mercado mundial imposta pelos países metropolitanos em função da acumulação de capital. No caso específico, o subdesenvolvimento irlandês – como de resto qualquer outra semelhante ocorrência – é relevado como fato que não tem nada de "natural": é produto da política e das exigências protecionistas da manufatura e indústria inglesa que, por meio do Parlamento Britânico (desde o final do séc. XVII até a promulgação da *Corn Law* no início do XIX), coibem o desenvolvimento da produção manufatureira em solo irlandês (via taxações etc.), condenando o país a desempenhar o papel de simples produtor de matérias-primas agrícolas sob monopólio comercial da Inglaterra. Vd. K. Marx e F. Engels, *Imperio y Colonia: Escritos sobre Irlanda,* Cuadernos de Pasado y Presente, n. 72, México, 1979.

37. Sem esquecer, aqui, as posições assumidas pelos populistas russos influenciados pelo pensamento de Marx (como Tishenko, Kravchinski, Eliseev, Mikhailóvski), que percebiam a adoção do capitalismo na Rússia como um modelo desintegrador e fragmentador da tradição comunitária, sem oferecer em contra-partida uma perspectiva de desenvolvimento econômico semelhante à dos países do Oeste Europeu. Vd. A. Walicki, "Socialismo Russo e Populismo", *in* E. Hobsbawm (Org.), *História do Marxismo,* vol. 3, *op. cit.,* 1984.

logicamente atrasado. Toda a teoria dos "saltos" dos ciclos históricos a que estariam induzidas as sociedades mais atrasadas por influência dos impactos interativos com aquelas mais adiantadas, está justamente baseado na compreensão da natureza *mundial* do capitalismo (do mercado) enquanto sistema econômico-político que, diferentemente da era pré-capitalista, das velhas estruturas sociais de caráter provincial isoladas umas das outras, já não poderia mais reproduzir uma dinâmica que levasse cada comunidade a repetir a mesma trajetória das demais, como observara Vico no passado.

O capitalismo – argüi Trotsky – marca um progresso sobre tais condições. Preparou e, em certo sentido, realizou a universalidade e a permanência do desenvolvimento da humanidade. Fica, assim, excluída a possibilidade de uma repetição das formas de desenvolvimento em diversas nações. Na contingência de ser rebocado pelos países adiantados, um país atrasado não se conforma com a ordem de sucessão: o privilégio de uma situação historicamente atrasada autoriza um povo ou, mais exatamente, o força a assimilar todo o realizado, antes do prazo previsto, passando por cima de uma série de etapas intermediárias, (...) [ainda que, neste caso] o processo de assimilação apresente um caráter contraditório (...) As leis da História nada têm em comum com os sistemas pedantescos. A desigualdade do ritmo, que é a lei mais geral do *processus* histórico, evidencia-se com maior vigor e complexidade nos destinos dos países atrasados. Sob o chicote das necessidades externas, a vida retardatária vê-se na contingência de avançar aos saltos. Desta lei universal da desigualdade dos ritmos decorre outra lei que, por falta de denominação apropriada, chamaremos de *lei do desenvolvimento combinado*, que significa aproximação das diversas etapas, combinação das fases diferenciadas, amálgama das formas arcaicas com as mais modernas"[38].

Paul Sweezy tira desse mesmo princípio uma outra conclusão: que desde o início de sua evolução, essa interligação

---

38. L. Trotsky, *Histoire de la Révolution Russe,* Éditions du Seuil, Paris, s/d (copyright 1950), pp. 20-21. Em outra passagem, agora de *A Revolução Permanente,* diz Trotsky: "... que diferença existe entre os países avançados e os países atrasados? Uma grandíssima diferença, mas que permanece sempre subordinada à dominação das relações capitalistas. As formas e os métodos de dominação da burguesia são extremamente diversos segundo os países. Nos dois pólos extremos nós temos, de um lado, a dominação direta e absoluta: os *Estados Unidos*; de outro, o capital financeiro, adaptado às instituições sobreviventes da Idade Média asiática, que subordina, utiliza-as e impõe-lhes seus métodos: a *Índia*. Mas a burguesia reina tão bem aqui que lá". L. Trotsky, *La Révolution Permanente,* Gallimard, Paris, 1963.

indissolúvel e desigual entre as várias sociedades e regiões do planeta, pelo capitalismo, será um dado de verdade, seja na sua fase avançada de sistema global da última metade do século XX, como naquela predominantemente mercantil do período anterior à Revolução Industrial[39]. Some-se ainda, ao argumento em causa, a contribuição de Ernest Mandel, para quem

> o modo de produção capitalista não se desenvolveu num *vacuum*, mas dentro de um arcabouço socioeconômico específico caracterizado por muitas diferenças significativas, por exemplo, na Europa Ocidental, Europa Oriental, Ásia Continental, América do Norte, América Latina e Japão (junto com as sociedades da África e Oceania), reproduzindo em formas e proporções variantes uma *combinação* de modos passados e presentes de produção, ou mais precisamente, de estágios sucessivos de modo de produção presente e passado variantes (...) [onde] o sistema capitalista mundial (representa) uma *função* da validade universal da lei do desenvolvimento desigual e combinado (onde os casos específicos têm importância secundária face à primazia das características capitalistas comuns a todo o sistema)[40].

A chamada "Teoria da Dependência", desenvolvida na década de 1960 por teóricos latino-americanos ligados à Comissão Econômica para a América Latina – CEPAL (com sede em Santiago do Chile) é uma outra vertente do desdobramento deste mesmo princípio teórico. Inicialmente inspirada na chamada doutrina Prebisch-CEPAL[41] e construída para dar conta de uma explicação (em bases marxistas) para a questão

---

39. P. Sweezy, *Modern Capitalism and Other Essays,* Monthly Review Press, New York/London, 1972, pp. 5-6.

40. E. Mandel, *Late Capitalism, op. cit.*, pp. 22-23.

41. Raul Prebisch, economista cepalino, é autor de um ensaio intitulado "El Desarrollo Económico de América Latina y algunos de sus principales problemas", que serviu de base à grande polêmica que se instaurou, sobretudo a partir dos anos 1960, a respeito das causas do subdesenvolvimento latino-americano. Originalmente publicado em abril de 1950, o artigo foi reimpresso mais tarde no *Boletin Económico de América Latina,* vol. VII, n. 1, Santiago do Chile, 1962, e saudado, em nível internacional, como o "verdadeiro manifesto da CEPAL". Sobre a questão, vd. A. Hirschman, "Ideologies on Economic Development in Latin America", *in A Bias for Hope Essays on Development and Latin America,* Yale University Press, 1971; F. H. Cardoso, "La Originalidad de la Copia: la CEPAL y la Idea de Desarollo", *in* R. Villarreal (org.), *Economia Internacional II – Teorías del Imperialismo, la Dependencia y su Evidencia Historica,* Fondo de Cultura Económica, México, 1989, pp. 180-181.

do subdesenvolvimento crônico dos países latino-americanos face ao estágio alcançado de desenvolvimento dos países centrais, ela teve também seus desdobramentos como tese referencial-explicativa para outras situações de subdesenvolvimento vivenciadas por países atrasados em outras regiões do mundo, como a África e a Ásia[42]. Para André Gunder Frank, seu principal sistematizador, tratava-se de encarar o fenômeno do subdesenvolvimento como um produto histórico não de causas endógenas (econômicas, políticas e/ou culturais) inerentes aos países situados em regiões circunscritas ao chamado Terceiro Mundo, mas da própria estrutura colonial do desenvolvimento capitalista *mundial* (e de sua herança), da divisão internacional do trabalho imposta às colônias (em geral) pelas necessidades do mercado mundial e da acumulação capitalista nos países centrais.

Na base da Teoria da Dependência está uma crítica radical à chamada "Sociologia do Desenvolvimento", fertilizada sobretudo nos Estados Unidos após a retomada do crescimento econômico que se sucedeu ao final da II Guerra Mundial. O "desenvolvimentismo", apoiado em uma "razão dualista" que informa sua epistemologia no que tange ao tratamento das disparidades e desigualdades entre os países dos chamados blocos central e periférico, defendia que essas desigualdades de progresso entre as nações poderiam ser explicadas a partir do estabelecimento de certos paralelos vetoriais de comparação entre as duas situações típicas, medidos sincrônica e quantitativamente em cada caso, e cujos resultados derivados informariam os fatores causais responsáveis por cada contexto (de um lado o "desenvolvido", de outro o "subdesenvolvido"), permitindo outrossim, pelo conhecimento produzido, que (em tese) *todos* os estados atrasados se tornassem *intrinsecamente* capazes de criar suas próprias estratégias de desenvol-

---

42. O trabalho que André Gunder Frank empreendeu em conjunto com S. A. Shah ao final de década de 1960, visava a publicação de uma antologia de ensaios em dois volumes (intitulada *O Subdesenvolvimento*) consagrada a uma abordagem comparativa "tricontinental" das causas estruturais do subdesenvolvimento da Ásia, África e América Latina, isso na perspectiva de uma contribuição à formulação de uma teoria geral para a questão. Cf. A. Gunder Frank, *Le Développement du Sous-Développement: l'Amerique Latine*, Maspero, Paris, 1970.

vimento tendo por modelo os países avançados. O paradoxo *desenvolvimento/subdesenvolvimento* estaria, assim, explicado na esteira de causas *endógenas* inerentes a cada caso, segundo um viés dicotômico que não estabelece qualquer relação orgânica (ou histórica) entre os pólos, entendendo-os, ao contrário, como realidades "externas" entre si.

Para Gunder Frank, seja a abordagem que estabelece "tipos ideais" polares para efeito de comparação entre os "dois mundos" – tentando registrar, a partir de caracterização empírica, diferenciações que possam ser ressaltadas em modelos capazes de identificar os fatores causais das disparidades (e que redundou na teoria rostowiana das etapas do crescimento econômico) –, seja a tese "difusionista", que entende o desenvolvimento como resultante da difusão de certos elementos culturais que se propagam (de forma mais ou menos intensiva) dos países capitalisticamente mais avançados para aqueles "atrasados" (capitais, técnicas, instituições, hábitos culturais, mentalidade etc.); ou ainda uma terceira abordagem, que se volta para uma análise "interna" dos processos econômico-político-culturais dos países subdesenvolvidos em busca de um diagnóstico prospectivo de suas tendências evolutivas (potencialidades e/ou entraves endógenos à modernização) *vis-à-vis* os contextos dos países mais desenvolvidos, todas essas perspectivas analíticas, próprias da escola da "Sociologia do Desenvolvimento", careceriam de uma adequação teórica fundamental: uma compreensão integrada e global (dialética) do processo único e desigualmente combinado, historicamente constitutivo do modo capitalista de produção *em escala mundial*[43]. Na verdade – diz Gunder Frank – a expansão econômica e política da Europa depois do século XV levou à integração dos países atualmente subdesenvolvidos em uma corrente única da história mundial, a qual simultaneamente deu nascimento ao desenvolvimento atual de certos países e ao subdesenvolvimento também atual de outros tantos (...) Essa realidade [dos países subdesenvolvidos] constitui o produto do mesmo processo histórico e do mesmo sistema estrutural que condu-

---

43. A. Gunder Frank, *idem*, Prefácio e cap. 1, "Sociologia do Subdesenvolvimento e Subdesenvolvimento da Sociologia".

ziu ao desenvolvimento dos países atualmente desenvolvidos: o sistema mundial, como uma cadeia na qual os países atualmente subdesenvolvidos vivem sua história depois de séculos – sendo a estrutura desse sistema a causa histórica ainda hoje determinante do subdesenvolvimento. E essa estrutura é onipresente[44].

Para o autor, a inadequação teórica da perspectiva dualista – espécie de tradução refinada dos "hábitos do imperador" que serve para velar a nudez de seu imperialismo[45] – residiria, exatamente, na sua recusa em se conformar às normas (epistemológicas) do globalismo, do estruturalismo e da historicidade[46], como alternativa teórica aos paradigmas freqüentemente idealizados nas ciências sociais (de uma maneira geral) circunscritos à aldeia, à tribo, à nação ou mesmo ao continente (europeu), e que, embora operacionalmente interessantes num determinado plano de análise, não aportam uma visão de totalidade dos processos históricos, mistificando a realidade. Em conseqüência, "a *extensão* do processo mundial único de acumulação do capital e do sistema capitalista, formado por aquele processo ao longo de vários séculos, permanece [ainda] como uma importante questão em aberto"[47].

44. *Idem*, p. 47. Robert Brenner, tentando fazer uma crítica do que considera ser uma lacuna básica em toda a Teoria da Dependência, ou seja, seu relaxamento em levar em consideração as especificidades da conformação das estruturas de classe (sua forma de composição) em sociedades periféricas como fator determinante (em última instância) do subdesenvolvimento, ao mesmo tempo que abre uma perspectiva interessante e fecunda no contexto do debate em questão, em contrapartida empobrece outros ângulos analíticos de decisiva contribuição teórica ao entendimento da dinâmica do capitalismo como modo de produção mundialmente articulado e contraditório, uma vez que, ao atribuir-se a características endógenas da maneira de ser das burguesias periféricas (e de seus métodos de exploração do trabalho) a razão principal para os entraves ao "desenvolvimento" (priorização da extração da mais-absoluta sobre relativa), sem que ao mesmo tempo se explique, satisfatoriamente, as causas históricas desse próprio "ser burguês" terceiromundista, refaz-se o mesmo viés dualista criticado pela Teoria da Dependência na sociologia desenvolvimentista. Cf. R. Brenner, "The Origins of Capitalist Development: a Critique of Neo-Smithian Marxism", *in New Left Review*, n. 104, London, 1977.
45. A. Gunder Frank, *Le Développement du Sous-Développement, op. cit.*, p. 83.
46. Cf. *idem*, p. 67.
47. A. Gunder Frank, *Acumulação Mundial, 1492-1789, op. cit.*, p. 31. Outras referências bibliográficas sobre o tema: R. M. Marini, *Subdesarrollo y*

Samir Amin, com *L'Accumulation à l'Échelle Mondiale* (1974), tentou "fechar" essa questão – como ele próprio argüi na Introdução à obra[48] – ao propor (como o título do trabalho sugere) uma análise do processo de acumulação do capital *em escala mundial,* buscando integrar à sua tese as contribuições de Paul Baran, Paul Sweezy, Gunder Frank e Arghiri Emmanuel. A tentativa era a de oferecer uma nova síntese conceptiva e dialeticamente mais integrada (uma teoria geral) das causas histórico-estruturais da constituição de um sistema capitalista mundial *desigual e combinado,* em que os conceitos de "desenvolvimento" e "subdesenvolvimento" (à la Teoria da Dependência) são apresentados como pólos contraditórios de um mesmo e articulado processo, incorporados, então, como base da reflexão, não apenas as manifestações concretas do capitalismo monopolista tal qual evoluídas à época de Lênin, Bukharine e Rosa Luxemburgo (fase clássica do imperialismo), como também os novos dados empiricamente disponíveis relativamente às novas configurações do monopólio a partir do período mais recente do pós-guerra (anos 50 em diante*).*

Deixando de lado, por economia de espaço, o foco central de seu argumento, qual seja a forma historicamente específica de ocorrência do processo de acumulação mundial do capital como momento essencial-explicativo da dinâmica global do sistema e de sua resultante formatação desigual, vale ressaltar, aqui, que Samir Amin toma o *mercado mundial* como a instância básica e universal de articulação das relações não

---

Revolución, Siglo Ventiuno, México, 1969; T. dos Santos, *Dependencia y Cambio Social,* 2ª edición, CESO, Santiago, 1970; F. H. Cardoso e E. Faletto, *Dependência e Desenvolvimento na América Latina: Ensaio de Interpretação Sociológica,* Zahar, Rio de Janeiro, 1970; M. Merhav, *Dependencia Tecnologica, Monopolio y Crescimiento,* Periferia, Buenos Aires, 1972; G. O'Donnel e D. Link, *Dependencia y Autonomia:Formas de Dependencia y Estrategias de Liberación,* Amorrortu, Buenos Aires, 1973; P. Evans, *Dependent Development: The Alliance of Multinational State and Local Capital in Brazil,* Princeton University Press, Princeton, 1979; R. Villarreal (Org.), *Economia Internacional II – Teorias del Imperialismo, la Dependencia y su Evidencia Histórica,* cap. X ("La Economia Internacional y La Teoria de la Dependencia: La Perspectiva desde la Periferia), *op. cit.*

48. S. Amin, *Accumulation on a World Scale,* Monthly Review Press, NewYork/London, 1974.

apenas entre o que denomina de "mundo desenvolvido" (países centrais) e "mundo subdesenvolvido", (países periféricos), mas também (claro que à sua época, quando ainda vigia o sistema soviético) entre o sistema *capitalista* (como um todo) e aquele *socialista*. Embora considerasse a Rússia e o Leste Europeu como um sistema que (ainda) não fazia parte do *sistema* capitalista mundial, não obstante argüía que este estava vinculado (e subordinado) ao *mercado* capitalista mundial, constituindo-se parte *integrante* do mesmo: "Não há dois mercados, um capitalista e outro socialista – infere Amin –, mas apenas um, o mercado mundial capitalista, ao qual a Europa do Leste participa marginalmente"[49]– isto é, sob forma diferente (mas efetiva) daquela que envolve centro e periferia no interior do próprio sistema capitalista. Disso segue que, para Samir Amin, o mercado mundial deveria ser tomado como ponto-de-partida estratégico *(starting-point)* de toda inflexão analítico-crítica voltada à compreensão das leis que regem o sistema capitalista mundial e seu desenvolvimento, na medida em que nele (mercado mundial) se revelam, à superfície do real, as "aparências" do movimento do capital em geral em seu verdadeiro diâmetro de manifestação[50].

O fato é que, nascido do dilatamento do mundo, o capitalismo sempre encarnou, desde a sua gênese, a vocação à mundialização. Sua bússola sempre apontou para os confins do planeta. Sua tendência geral (sua *genética*) sempre foi a de constituir todos os pontos supostos da circulação, *everywhere,* em centros (re)produtivos da mesma, metamorfoseando, paulatinamente, todos os quadrantes e hemisférios, oceanos e mares, num único e gigantesco mercado, onde processos de acumulação originária sempre estiveram associados a formas mais desenvolvidas de acumulação do capital; estratégias "*formais*" de subsunção do trabalho àquelas ditas "*reais*", engrenadas pela máquina sempre mais sofisticada da mais-valia; falas e dialetos, aos imperativos da linguagem comum e dominante do lucro. Há séculos o *mercado mundial* tornou-se o patamar real e sobredeterminante de toda ordem de sociabilidade, a for-

49. *Idem*, Introdução, p. 4.
50. Cf. *idem*, p. 65.

ça efetiva de formatação última de toda sorte de institucionalidade, o substrato dinâmico constitutivo de todo diâmetro de materialidade. Com ele, a *configuração da mundialidade,* de capítulo final de toda a história universal passada, torna-se então *prefácio* obrigatório para novas narrativas; *standpoint* para novas percepções; observatório mais elevado para novas revelações. Dele partiu Marx. Dele deveria também partir toda a compreensão da teoria marxiana do capitalismo – a qual, afinal de contas (e para além de outros aspectos relevantes), é uma poderosa (e ainda pouco explorada) *tese sobre a mundialização.*

3. A MOEDA MUNDIAL

Em linhas gerais – e a metáfora é didática –, se o mercado mundial pode ser comparado a um sistema de artérias que interliga as várias partes do tecido planetário, conferindo-lhe unidade orgânica, o dinheiro é então o sangue que corre nas artérias, dando vida ao conjunto do sistema. Não há capitalismo sem essa generalizada "irrigação".

A teoria marxiana do dinheiro, como forma genérica de relação social, como poder social ou nexo com a sociedade "que o indivíduo carrega no bolso"[1], só ganha plena efetividade no contexto do capitalismo. Ainda que, como lembra Suzanne de Brunhoff[2], uma teoria marxiana da moeda aplicada ao sistema capitalista deva estar logicamente compreendida numa teoria geral da moeda, aplicável a toda e qualquer ordem societária baseada numa economia mercantil (sendo os elementos

1. Cf. K. Marx, *Grundrisse*, vol. 1, *op. cit.*, p. 84.
2. S. de Brunhoff, *A Moeda em Marx*, trad. de Aloísio Teixeira, Paz e Terra, Rio de Janeiro, 1978.

básicos de uma economia monetária comuns a toda sociedade produtora de mercadorias), contudo é somente no âmbito da sociedade burguesa, onde as relações de troca ganham uma universalidade e um desenvolvimento historicamente incomparáveis, que o papel desempenhado pela moeda se revela em todos os seus desdobramentos e potencial sociológicos.

A utilização do dinheiro como vínculo social, como meio universal de troca, como equivalente geral, supõe, historicamente, a superação de formações sociais em que predominaram as relações de dependência pessoal e de um padrão de produtividade humana conformado às necessidades restritas de circuitos comunitários locais e isolados. David Ricardo já houvera observado isso quando afirmou que o dinheiro na sociedade moderna, por sua constituição própria de meio geral de troca entre todos os países civilizados, e pelo fato de também ser distribuído entre esses países em proporções cada vez mais diferenciadas, está sujeito sempre às incessantes variações da evolução do comércio e da maquinaria em todas as partes[3]. Será a intensificação do comércio que, ao alargar os horizontes da sociabilidade humana pelo incremento de novas necessidades e padrões de consumo, estabelecerá as bases de um novo metabolismo social, que passa a requerer códigos de interatividade mais universais e desencaixados dos localismos pré-existentes. Por meio do comércio, da progressiva mundialização das relações de troca – e de sua inevitável impessoalidade –, desagregam-se paulatinamente as condições antigas e patriarcais, o modo de produção feudal, a organização produtiva voltada aos valores de uso, abrindo espaço para a emergência de um novo tipo de sociedade que já nasce modelada pelo invólucro de uma economia de anatomia progressivamente mundializada, de fisiologia articulada pelo movimento do valor de troca, da circulação do luxo, do uso generalizado do dinheiro.

A autonomização do mercado mundial pressupõe o desenvolvimento das relações monetárias, de um sistema de trocas evoluído mediante o qual

---

3. Cf. D. Ricardo, *On The Principles of Political Economy and Taxation*, op. cit., p. 48.

os vínculos de dependência pessoal, as diferenças de sangue, de educação etc., são de fato destruídos, desgarrados [...] e os indivíduos *parecem* independentes (esta independência que, em si mesma, é somente uma ilusão que poderia designar-se, mais exatamente, como indiferença), parecem livres para se enfrentarem uns aos outros e de intercambiar esta liberdade[4].

Pressupõe, portanto, o dinheiro, como "sangue" que circula nas artérias do sistema dando-lhe vida; ou "a equiparação do heterogêneo", segundo a bela imagem de Shakespeare emprestada por Marx[5]. A constituição definitiva da sociedade de mercado só se torna possível a partir de um certo grau de desenvolvimento das trocas mundiais, que "torna necessário *um funcionamento mundial dos mercados cambiais*(e) a luta contra os sistemas de câmbio controlado"[6]. Uma vez formatado, o mercado mundial irá exigir um padrão único de equivalente de troca: a *moeda mundial*.

O dinheiro, para Marx, não nasce de uma convenção qualquer (entre indivíduos ou Estados). É "cristal" gerado no interior da dinâmica mercantil, produto espontâneo da expansão do comércio, da generalização das atividades de câmbio, resultado da extensão dos processos de troca. Responde às necessidades materiais próprias da natureza da nova escala do intercâmbio: a da padronização universal da equivalência (medição dos valores), da facilitação do transporte (por conter, simbolicamente, um valor de troca máximo num mínimo espaço), da contabilidade, durabilidade e inalterabilidade física do meio (daí a opção inicial pelos metais preciosos, como a prata e o ouro), da objetivação direta do tempo de trabalho em geral etc. – elementos esses que vão se refinando à medida que evolui e se dinamiza o circuito das trocas. "A necessidade de um dinheiro distinto do tempo de trabalho surge precisamente da necessidade de expressar a cota do tempo de trabalho não em seu produto imediato e particular, mas em um produto mediato e universal"[7]. Em outras palavras, o dinheiro, mais que qualquer outra mercadoria, expressa, de modo evidente, o fato de que a humanidade, após um longo e, ini-

---

4. K. Marx, *Grundrisse,* vol. 1, *op. cit.*, p. 91.
5. *Idem*, p. 90.
6. P. Dockés, *L'Internationale du Capital*, *op. cit.*, p. 218.
7. *Idem*, p. 96.

cialmente, lento percurso de intercâmbios espontâneos de bens móveis entre comunidades estrangeiras, desde a Antigüidade (destacando-se os povos nômades dentre os primeiros a se utilizarem da forma monetária), ingressou numa nova etapa civilizatória, fundada em relações sociais de produção destinadas à criação de *valores de troca,* em que o mercado alargado (mundializado) – novo nexo de sociabilidade – passa a exigir padrões mais racionais (porque necessariamente mais universais) de contabilidade do trabalho social (em geral).

Na mesma proporção em que a troca rompe seus laços locais, e o valor das mercadorias em questão expande mais e mais o trabalho humano como tal nele incorporado, passa a forma dinheiro a transferir-se para as mercadorias que, por natureza, passam a desempenhar a função social de equivalente universal (metais preciosos etc.)[8].

Diferentemente das formas primitivas de troca direta, em que os valores de uso, na qualidade de excedente econômico, eram transformados em mercadorias *a posteriori* – no contexto de um mercado restrito, que impossibilitava ao valor de troca adquirir uma forma independente –, a dinâmica do mundo burguês, alimentada pelos impulsos cada vez mais extensivos e intensivos de um mercado configurado em escala planetária (resultado de um longo processo de extensão das trocas), faz com que as utilidades já não existam senão como mercadorias, coisas universalmente cambiáveis, *dinheiro*[9]: "O dinheiro necessariamente é cristalizado pelo processo de troca, através do qual produtos diferentes do trabalho são efetivamente equiparados entre si e convertidos em mercadorias"[10].

No âmbito do capitalismo, contudo, o dinheiro não é apenas um equivalente geral de troca. É encarnação social abso-

---

8. K. Marx, *Capital*, vol. 1, *op. cit.*, cap. 2, p. 183 [e.b., livro 1, vol. 1, cap. II, p. 99].

9. Do que se segue a lapidar formulação de Marx, inspirada no *Antígona*, de Sófocles: "A sociedade antiga denuncia o dinheiro como fator que tende a destruir a ordem moral e econômica. A sociedade moderna, que já na sua infância arranca Plutão pelos cabelos de sua cabeça das entranhas da terra, saúda o ouro como seu Santo Graal, como a encarnação cintilante de seu mais autêntico princípio de vida". K. Marx, *Capital*, vol. 1, *op. cit.*, cap. 3, p. 230 [e.b., livro 1, vol. 1, cap. III, p. 147].

10. K. Marx, *idem*, cap. 2, p. 181 [e.b., cap. II, p. 97].

luta da riqueza *(universal welth)*; padrão monetário *empiricamente universal*. Moeda *mundial*. Daí James Steuart ter distinguido o ouro e a prata de suas representações puramente locais, denominando-os de "dinheiro do mundo" *("money of the world")*[11]. E nada pode simbolizar com tanta propriedade o estágio alcançado pela monetarização universal das relações de troca, que a criação do sistema de crédito (também este internacional), que pode ser considerado, em Marx, como uma espécie de *modo especificamente capitalista de relação monetária* (distinto de outras formações sociais), dadas suas características evoluídas de sistema que promove, inclusive por mecanismos *desmaterializados* da moeda – como lembra Brunhoff[12] –, formas superiores e flexíveis de entesouramento e de financiamento da produção e reprodução do capital, indefinidamente e por todas as partes do globo.

O sistema de crédito supõe um desenvolvimento da capacidade de deslocamento dos capitais, expresso na internacionalização ampliada dos investimentos e negócios e pela constituição de um campo de ação não apenas nacional, mas *mundial,* para os capitais individuais e relativamente às relações interestatais. Tal dinamismo implicou, historicamente, na necessidade de codificação de acordos e regras universais de relacionamento mercantil, como a padronização monetária e a dependência mútua entre circuitos financeiros (de crédito) internos e internacionais[13], os quais passaram a ser complementares entre si no interior de um espaço econômico de estruturação transnacional. Daí porque, na análise marxiana, a tematização do sistema de

---

11. Cf. *idem*, cap. 3, p. 243 [e.b., cap. III, p. 160].
12. Cf. S. de Brunhoff, *A Moeda em Marx, op. cit.*, segunda parte.
13. Sobre esta questão, visando demonstrar a interdependência lógica e real entre os circuitos internos e externos de funcionamento do mercado no âmbito do capitalismo mundial, bem como a definitiva forma de padrão universal adquirida pelo dinheiro nesse contexto, diz Marx: "Da mesma forma que todo país precisa de um fundo de reserva para sua circulação interna, assim também o é requerido para a circulação no mercado mundial. As funções das reservas entesouradas, portanto, crescem, em parte, em função do papel que o dinheiro cumpre internamente como meio de pagamento e circulação, em parte por sua função como meio de circulação mundial". *In* K. Marx, *Capital*, vol. 1, *op. cit.*, cap. 3, p. 243 [e.b., livro 1, vol. 1, *op. cit.*, cap. III, p. 159].

crédito segue, lógica e historicamente, a análise abstrata do sistema monetário em geral (que a precede). Para dar o devido relevo teórico que o sistema de crédito detém como expressão da natureza desenvolvida do modo capitalista de produção, como economia monetária singularmente universal e de mercado mundializado, é que Marx prepara o leitor para entender, inicialmente, a lógica genérica de funcionamento de uma economia monetária *em geral,* para somente então adentrar com o tema específico do sistema de crédito, tipicamente capitalista, que implica numa passagem lógica e histórica do sistema monetário simples (que se encontra analisado em sua teoria geral da moeda) para a forma desenvolvida do capital produtor de juros, o sistema de crédito (que está analisado em sua teoria do crédito) – ou, em outras palavras, a passagem entre o momento em que o capital mercantil se encontra ainda relativamente dependente da produção capitalista, e aquele no qual o sistema monetário (bancário) ganha certa autonomia (graças a formas evoluídas de entesouramento dos valores acumulados), passando a funcionar como agente direto e principal da própria produção, financiando a reprodução do capital e tornando-se, ele próprio, elemento primitivo do novo estágio produtivo[14].

Por ser o capitalismo um sistema econômico de mercado *mundialmente articulado,* a moeda mundial se revela, também, como uma das principais fontes de poder entre as nações. Brunhoff, a esse respeito, retoma os comentários de Marx (postos na *Contribuição à Crítica da Economia Política*) sobre os fundamentos do poder político das monarquias absolutas na Europa, nos albores do mercantilismo, cuja força repousava, dentre outros fatores, na disponibilidade das reservas do "equivalente geral" (estoques de ouro e prata) nos cofres estatais; riqueza, esta, "sempre mobilizável", conversível em qualquer mercadoria, e que não apenas traduzia um poder geral dos mandatários sobre o conjunto dos territórios então nacionalizados, do mesmo modo que se impunha perante o conjunto dos demais países, servindo até para medir o poder recíproco entre as diversas comunidades nacionais[15].

---

14. Sobre o assunto, vd. S. de Brunhoff, *op. cit.*, pp. 74-90.
15. Cf. *idem*, p. 45.

Por meio do sistema monetário internacional, expressa-se o poder econômico de cada nação pela posição que cada uma ocupa, em cada época, relativamente ao padrão básico de valor de troca que a conjuntura do mercado mundial define como referência de equivalente geral, medindo-se a riqueza não pela simples quantidade de divisas acumuladas, mas pela *qualidade* dessa quantidade proporcionalmente ao valor geral de equivalência em vigor. E por mais que cada nação continue mantendo formas monetárias próprias (reputadas por Michel Aglietta como simples *"externalidades"* no contexto de uma economia de dinâmica mundial)[16], logo essa aparente "soberania" se esvai no ato do intercâmbio internacional, por necessidade dos ajustes de equivalência aos valores-padrão em vigência, impostos pelas regras e dinâmica do mercado mundial. Nesse contexto, em que a circulação das mercadorias já transpôs as barreiras internas dos países e subordinou cada produção local às exigências da concorrência internacional, a moeda "nacional" é uma *ilusão de ótica:*

... quando as moedas nacionais, como os imperiais russos, os escudos mexicanos e os soberanos ingleses circulam no estrangeiro, a sua denominação torna-se indiferente e apenas conta o seu conteúdo. Finalmente, como moeda universal, os metais preciosos cumprem de novo a sua primitiva função de meio de troca que, assim como a própria troca das mercadorias, não tem origem no seio das comunidades primitivas, mas sim nos pontos de contato de diferentes comunidades. Enquanto moeda universal, o dinheiro reencontra, portanto, a sua forma natural primitiva. Ao deixar a circulação interna, ele abandona mais uma vez as formas particulares nascidas do desenvolvimento do processo de troca no interior dessa esfera particular, as formas locais que lhe eram próprias como padrão de preços, numerário, moeda miúda e signo de valor[17].

No capitalismo, os "pontos de contato" das "diferentes comunidades" (povos, nações, países e, mesmo, capitais) é o

16. Vd. M. Aglietta, *El Fin de las Divisas Clave: Ensayo sobre la moneda internacional,* Siglo Veintiuno, México, 1987, pp. 23-27. Aglietta chega a definir de "moeda internacional", "todo modo de organização de divisas nacionais que realiza a centralização (*vis-à-vis* ao padrão de equivalência internacional) vencendo sua (relativa) diversidade" (p. 26).
17. K. Marx, *Contribuição à Crítica da Economia Política,* trad. de Maria Helena B. Alves, Martins Fontes, São Paulo, 1977, p. 142.

mercado mundial. É ele que dá homogeneidade de conteúdo às formas aparentemente heterogêneas (nacionais) do dinheiro, ao impulsionar as trocas para além dos horizontes restritos dos antigos circuitos limitados da circulação. É a necessidade de padrões contábeis mais racionais e universais – porque condicionados pelo imperativo de um mercado que funciona supranacionalmente – que impõe a institucionalização do *exchange,* de uma organização monetária internacional, de uma estratégia operacional de conversão das várias moedas entre si segundo um único referencial contábil (geral), em relação ao qual seus valores particulares passam a estar continuamente relativizados e por meio do qual a liquidez internacional passa a ser medida e controlada. É essa a idéia central de Marx ao se referir ao papel que tanto o ouro quanto a prata desempenharam – como padrão de preço ao qual os valores de troca das mercadorias passaram a estar vinculados – no contexto da circulação internacional das mercadorias desde os primórdios do capitalismo[18].

O mercado mundial, espaço onde são abolidas todas as fronteiras entre os diferentes países, as nomenclaturas nacionais das medidas monetárias cedem lugar às medidas gerais de valor, não importando a figura que estas assumam em cada contexto em função das disputas entre capitais. "Assim – cita Marx um exemplo –, em numerosas colônias inglesas da América do Norte, a moeda em circulação consistia, em pleno século XVIII, em espécies espanholas e portuguesas, sendo a moeda de cálculo por toda a parte a mesma que na Inglaterra"[19]. Da mesma forma, "a moeda do Banco de Amsterdã era um simples nome de cálculo dos dobrões espanhóis, que em nada perdiam da sua opulência ou do seu peso com uma preguiçosa estada nas caves do banco, ao passo que as duras fricções com o mundo exterior faziam definhar a laboriosa moeda corrente"[20].

---

18. Cf. *idem*, item dedicado ao tema da "Moeda universal", pp. 141-145. Essa tese já fora formulada por Marx aproximadamente em 1847, ao debater o assunto com Proudhon, em *Miséria da Filosofia*. Cf. particularmente as pp. 95-98, *op. cit.*

19. K. Marx, *Contribuição à Crítica da Economia Política, op. cit.*, p. 79.

20. *Idem*, p. 84.

O mercado mundial *desterritorializa* todo padrão de referência monetária nacional, subordinando-o, em cada época, a uma despatriada moeda universal, que passa a balizar os preços na troca de mercadorias entre todos os quadrantes do globo. Foi assim com a prata e o ouro no auge do período mercantilista, seguindo-se o *padrão-esterlina* na primeira fase da Revolução Industrial liderada pela Inglaterra (que então liderava o arranque da reprodução ampliada do capital), e aquele do dólar, instituído por um acordo entre as grandes potências vitoriosas do (sobre o) mundo na conferência monetária de Bretton-Woods, após o final da II Grande Guerra, e que outorgou ao Estado norte-americano (em nome do sistema capitalista em geral) a faculdade soberana de emprestar ("para o bem de todos e a felicidade geral das nações") o parâmetro para o novo dinheiro do mundo – fase que conheceu seu apogeu ao longo dos anos 1960, caindo em declínio ao final dos 70[21]. Ao longo desse período, contudo, e até hoje, o padrão-

---

21. Com respeito ao declínio da vigência das regras consagradas em Bretton-Woods, observa Michel Aglietta que tal fato deveu-se à falência da economia de endividamento internacional centrada no padrão-dólar a partir dos anos 70 e as tensões financeiras advindas nos princípios da década de 80, agravadas pela crise do petróleo e pela dívida interna e crise fiscal americana. *In* M. Aglietta, *El Fin de las Divisas Clave, op. cit.*, p. 130. O impacto da crise do petróleo no início da década de 70, como fator acelerador de crise e reforma do sistema financeiro internacional, também é ressaltada por Robert Triffin, *in* "Reshaping the International Monetary Order", *International Social Science Journal*, vol. XXX, n. 2, UNESCO, Presses Universitaires de France, Paris, 1976. Neste final de século, com o reordenamento do sistema econômico-político internacional por meio da organização de grandes blocos de mercado comum, redefine-se uma nova correlação de forças em plano global quanto ao estabelecimento de novos padrões hegemônicos de equivalência universal, mas com uma substancial diferença: a crise monetária contemporânea que se estende por mais de vinte anos tem isso de paradoxo comparativamente a experiências passadas: *acompanha-se de uma integração dos mercados financeiros*. Outras análises interessantes a respeito desse tema podem ser verificadas, por exemplo, em H. Bourguinat, *L'Économie Mondiale à Découvert,* Calman-Levy, Paris, 1985; A. Brender, P. Gaye e V. Kessler, *L'Aprés-dollar*, Economica, Paris, 1986; C. Ghymers, "Réagir à l'emprise du dollar", *in* M. Aglietta, ed., *L'Écu et la Vieille Dame,* cap. I, Economica, Paris, 1986; J. Guttentag e R. Herring, "The lender of last resort function in an international context", *in International Finance Section,* n. 151, Essays, Princeton, 1983; D. Lebegue,

dólar (como anteriormente o padrão-esterlina e o ouro e a prata) jamais expressou tão-somente a hegemonia de uma *nação* no contexto do sistema econômico mundial; além disso (e sobretudo), simbolizou (isso sim) um parâmetro universal de equivalência de troca, necessário à sustentação e ao funcionamento do sistema capitalista global como um todo, cujo dinamismo sempre ultrapassou o controle exclusivo do Estado conjunturalmente detentor do poder hegemônico sobre o conjunto da economia planetária.

De fato, o dólar nunca foi exclusivamente "americano". Como lembra Pierre Dockès, sempre ocorreu o desenvolvimento do mercado relativamente autônomo de "euro-dólares", "mercado monetário do dólar fora dos Estados Unidos (empréstimos ativos e passivos em dólares entre não-residentes americanos), parte essencial de um mercado transnacional de capitais a curto prazo que alimenta um mercado financeiro transnacional (de euro-obrigações)"[22]. Da mesma forma, Kenichi Ohmae ressalta o quanto o Banco do Japão foi decisivo na tentativa de deter a queda livre da moeda "norte-americana" em meados dos anos 1980, injetando àquela altura (entre 1986 e 1987) cerca de US$ 16 bilhões no mercado financeiro internacional, e de como o mercado de câmbio tornou-se um "império próprio" ("Terceiro Império"), "que parece totalmente independente do Grupo dos Cinco ou mesmo de qualquer governo"[23].

No contexto do mercado mundial, as nações (e seus sistemas monetários) são por este sobredeterminadas, fato que o tempo inteiro vem comprovado pela existência de entidades financeiras supranacionais, pela padronização contínua de uma divisa de referência mundial e pelo impacto desestabilizador que cada política independente, adotada eventualmente por Estados em dissonância com a ordem estabelecida, sempre

---

"Pour une réforme du système monétaire internacional", *in Économie Prospective Internationale*, n. 24, Paris, 4º trimestre de 1985; J. Williamson, *The Failure of World Monetary Reform 1971-1974*, New York University Press, New York, 1977.
22. P. Dockès, *L'Internationale du Capital, op. cit.*, p. 218.
23. K. Ohmae, *O Fim do Estado Nação: A Ascensão das Economias Regionais,* trad. de Ivo Korytowski, Campus, Rio de Janeiro, 1996, p. 150.

causou no sistema monetário internacional. Para Michel Aglietta, tamanho é o poder do mercado mundial na configuração da existência individual de cada país no interior de uma economia irredutivelmente supranacional ("posto que todos são átomos neste vasto mundo"), que as nações que por ele são envolvidas (se tomadas individualmente) "nada têm que dizer acerca da seleção de uma moeda internacional: por suas políticas monetárias, não têm interações estratégicas, não são nem rivais, nem cooperativas, mas são (tão-somente) completamente transparentes pelos ajustes de um mercado sem fronteiras"[24].

No circuito de uma economia globalizada, o dinheiro mundial – e apenas em decorrência dessa qualidade – adquire o poder de falar "várias línguas", transvestindo-se de numerário *local nacional* e iludindo assim, ao cidadão comum, pela aparência de seu "uniforme" (que pode ser "*real*"), sobre a verdadeira fonte de sua soberania. O justo nível de cada *currency* nacional é "expresso sob a forma do equilíbrio internacional das *currencies*, o que, de fato, apenas significa que a nacionalidade em nada altera a lei geral"[25]. A fórmula da mágica, assim, está revelada. Em conseqüência, todas as riquezas do universo podem ser expostas nas vitrines de Londres ou de Tóquio, da Groenlândia ao Saara, da África ao Brasil, sem que haja problemas de "tradução": "os xales da Índia, os revólveres americanos, as porcelanas da China, os espartilhos de Paris, as peles da Rússia e as especiarias tropicais, (...) todos esses artigos que viram tanto mundo, trazem bem visíveis as fatais etiquetas esbranquiçadas onde são gravados algarismos árabes seguidos dos lacônicos caracteres $$, s., d. (libra esterlina, shilling e pence)"[26].

No mercado mundial, há um deslocamento da função social do dinheiro. Na esfera da circulação interna – que para Marx significa o momento pré-capitalista da dinâmica do mercado (M-D-M) –, a moeda, na condição de numerário, cumpria o papel primordial de simples *meio de compra*. Ante

---

24. M. Aglietta, *El Fin de las Divisas Clave, op. cit.*, p. 22.
25. K. Marx, *Contribuição à Crítica da Economia Política, op. cit.*, p.163.
26. *Idem*, p. 89.

à ausência de um maior dinamismo mercantil, ao estreitamento (mesmo geográfico) da esfera da circulação, aos limites da produção de valores de troca, os atos de compra e venda se consumavam como momentos *separados,* distintos no espaço e no tempo, prevalecendo aquela utilidade unilateral da moeda. Com o desenvolvimento progressivo da circulação das mercadorias, vão aparecendo novas condições históricas em que se efetua o intercâmbio. O volume e a intensidade das transações fazem com que o vendedor se torne credor, e o comprador, devedor. Nesse contexto, a forma do valor assume um novo aspecto, e o dinheiro, uma nova função. Mais particularmente na esfera internacional, o comércio não se dá mais por simples troca direta de mercadorias. Surgem escalas diferenciadas de transação comercial, de volume, de espaço e de tempo. O mercado mundial passa a ditar o ritmo dos negócios, a interfaciar agentes sociais complexos, a subverter os destinos da produção. Aqui já se impôs o império hegemônico dos valores de troca (D-M-D). Império *supranacional.* Aparecem os balanços internacionais, as dívidas e os saldos. A moeda, agora empiricamente mundial, já não é mais apenas *meio de compra.* É também *de pagamento.* Cumpre, ao mesmo tempo, essa dupla função (além daquela de encarnação absoluta da *universal wealth*). E mais ainda. "Quando a produção de mercadorias atinge um certo nível e amplitude, a função do dinheiro como meio de pagamento começa a expandir-se para além da esfera da circulação de mercadorias (...) [transformando-se] no mecanismo universal dos contratos"[27]. Ou seja, torna-se *a mercadoria por excelência:*

> Independentemente dos movimentos particulares que executa no seu vaivém entre as esferas nacionais da circulação, a moeda universal é animada por um movimento geral cujos pontos de partida se encontram nas fontes da produção, de onde as correntes de ouro e prata se espalham em diversas direções do mercado mundial. É na qualidade de mercadorias que o ouro e a prata entram agora na circulação mundial, e é como equivalentes que são trocados por mercadorias equivalentes proporcionalmente ao tempo de trabalho que contém, antes de desaguarem nas esferas internas da circulação[28].

27. K. Marx, *Capital*, vol. 1, *op. cit.*, cap. 3, p. 238 [e.b., livro 1, vol. 1, cap. III, p. 154].
28. K. Marx, *Contribuição à Crítica da Economia Política, op. cit.*, p. 143.

Se o dinheiro mundial, como *meio de circulação*, facilitava no começo o *intercâmbio* de mercadorias, estabelecendo padrões universais de equivalência entre concretudes heterogêneas, agora, como *meio de pagamento,* permite que se estabeleçam contratos antecipados de compra e venda, com financiamento distribuído no tempo, consumando (em princípio) a realização do valor antes mesmo de sua substituição total em dinheiro, e convertendo o vendedor em credor e o comprador em devedor. O *dinheiro de crédito,* novo desenvolvimento da função universal de equivalência cumprida pela moeda circulante no interior de uma sociedade fundada no mercado mundial, ativa a velocidade da circulação, encurtando os prazos de realização dos valores produzidos (o tempo de rotação do capital), além de descolar todo esse movimento dos limites de reservas temporariamente disponíveis (meio de pagamento imediato). Esse salto, que historicamente significou a constituição definitiva de um comércio de divisas, supõe – como bem notou Rudolf Hilferding – a extensão das relações internacionais, a constituição de uma rede amplamente ramificada de relações estrangeiras e uma grande e eficaz organização transnacional de controle, que veio a ser cumprida pelo desenvolvimento do sistema bancário em associação com (e supervisão de) os Estados nacionais e as entidades interestatais/internacionais[29]. O sistema de crédito acelera o desenvolvimento material das forças produtivas e consolida o mercado mundial (dando-lhe mecanismos mais ágeis e dinâmicos de circulação), transformando-se, como capital monetário, na base material da nova forma de produção[30].

No circuito do mercado mundial, ao qual todas as nações estão subordinadas, a configuração padronizada da moeda mundial como mercadoria-equivalente universal, e sua imposição e interferência no jogo dos intercâmbios (como se tudo estivesse por ela interligado num grande sistema organicamente compacto), é um fato. Por isso, diz Brunhoff: "cada

---

29. Vd. R. Hilferding, *El Capital Financiero*, Instituto Cubano del Libro, Habana, 1971, caps. IV e V.
30. Sobre o assunto, vd. ainda E. Mandel, *Late Capitalism, op. cit.*, cap. XIV.

país está, em virtude de seus próprios desequilíbrios, afetado pelas perturbações financeiras de seus parceiros"[31]. Além do mais, este "equivalente universal" é a ponta do ariete que também fere de morte todas as formações sociais estruturadas em padrões econômicos movidos por lógicas não burguesas de racionalidade. A sociedade antiga costumava denunciar o dinheiro como elemento corrosivo da ordem econômica e moral; a moderna, ao contrário, "que já na sua infância arranca Plutão pelos cabelos de sua cabeça das entranhas da terra, saúda no ouro o Santo Graal, a resplandecente encarnação do princípio mais autêntico de sua vida"[32].

Marx, argutamente, percebera esse efeito ao prognosticar a destruição definitiva do modelo agrícola japonês mediante a transformação de sua renda natural tradicional em renda em dinheiro, imposta pelas exigências do comércio exterior com a Europa[33]. Ou seja, cumpre o dinheiro universal a função de arma de ponta que historicamente prepara a consolidação do modo capitalista de produção em toda a superfície da Terra, sendo ele, nesse sentido, condição e fator orgânico de sua expansão e dinamismo, impondo-se, mesmo, como *necessidade* inerente à formatação do capitalismo como sistema mundial. Não por menos Bukharine alude ao fato que,

se analisarmos o movimento do capital social total do ponto de vista da forma material, isto é, das proporções materiais que são essenciais para as substituições recíprocas dos elementos materiais ("da troca material" dentro do "organismo produtivo social") e das relações materiais que mediatizam esta substituição, chegamos à conclusão de que o sistema capitalista está exposto à pressão da necessidade social da *produção da moeda*, exatamente do mesmo modo como está exposto à pressão da produção dos elementos materiais do capital produtivo. Portanto, a reprodução da moeda, como uma parte componente do processo, é essencial do ponto de vista da forma histórica-específica do capital, ainda que, do ponto de vista apenas da produção, não pertença à "produção real". Sejam quais forem as circunstâncias, no entanto, não se deve esquecer que, numa certa medida, a mercadoria preexistiu à moeda (...) A produção do material dinheiro constitui, portanto, uma parte componente da reprodução social na sua totalidade (...) [e

---

31. S. de Brunhoff, *A Moeda em Marx, op. cit.*, p. 112.
32. K. Marx, *Capital,* vol. 1, *op. cit.*, cap. 3, p. 230 [e.b., livro 1, vol. 1, cap. III, p. 147].
33. Cf. *idem*, p. 239 [e.b., p. 156].

este] leva uma vida nômada como os ciganos entre os povos civilizados da Europa[34].

Por ser o capitalismo um gigantesco mercado globalizado, a moeda mundial torna-se o instrumento básico de qualquer transação econômica (meio de compra e meio de pagamento), cujo valor relativo passa a estar determinado pela média global dos custos da produção mundial. Todos os produtos nela se alienam. A moeda universal simboliza – no dizer de Marx – a imagem metamorfoseada de todas as mercadorias. Contém a materialização de tempo de trabalho social global, empiricamente mundial, "na medida em que a troca material de trabalhos concretos *abarca toda a superfície da terra* (grifo meu)"[35].

Só no mercado mundial (grifo meu) – continua Marx – é que o dinheiro preenche plenamente as funções de mercadoria cuja forma natural é também aquela diretamente social da realização do trabalho humano em abstrato (...) [e sua] maneira de existência torna-se adequada a seu conceito[36].

O mercado mundial é a indústria universal da moeda global. A moeda mundial, o meio de expandir essa indústria. "Do mesmo modo que os alquimistas, ao tentarem fabricar ouro, deram origem à química, é involuntariamente que os proprietários de mercadorias, lançados na perseguição da mercadoria na sua forma mágica, constituem as fontes da indústria e do comércio mundiais"[37].

34. N. Bukharine, "Imperialismo e Acumulação de Capital", in R. Luxemburgo e N. Bukharine, *Imperialismo e Acumulação de Capital, op. cit.*, pp. 227-229. Enquanto parte da reprodução social total, *mundial,* a moeda padrão-universal, como *massa monetária,* é um dos indicadores centrais dos níveis de desenvolvimento do valor agregado gerado em cada época pela economia. Tal é o exemplo dado por E. Mandel, ao comparar a vitalidade da circulação da moeda no mundo entre os períodos pré e pós Segunda Guerra Mundial, quando a massa monetária cresceu 90% entre 1945 e 1967, alcançando um volume sete vezes mais elevado que em 1929 e nove vezes mais que em 1907. Cf. E. Mandel, *Late Capitalism, op. cit.*, p. 427.
35. K. Marx, *Contribuição à Crítica de Economia Política, op. cit.*, p. 144.
36. K. Marx, *Capital*, vol. 1, *op. cit.*, cap. 3, pp. 240-241 [e.b., livro 1, vol 1, cap. III, p. 157].
37. K. Marx, *Contribuição à Crítica da Economia Política, op. cit.*, p. 144.

Se o mercado mundial é a química involuntária da ação intensificada do comércio, o capitalismo é a fórmula equacionada do processo de mundialização das relações de troca, movimento esse que antecede (na sua origem) a formatação definitiva da sociedade da mais-valia. Para Marx, a dialética da transubstanciação do ouro e da prata em mercadoria-equivalente geral se inicia antes da infância da sociedade burguesa. Já nos séculos XIV e XV, o comércio ganhara um impulso sem precedentes com a descoberta de terras auríferas no alémmar. A disponibilidade de um volume inusitado de ouro e prata concorre para sua adoção definitiva como representante mistificado do trabalho social em escala internacional. Sua utilização generalizada, em complemento, apresenta-se como um pressuposto à criação do mercado mundial, inclusive porque, em seu conceito monetário, já está embutida a antecipação (ideal) da existência deste[38]. Mais ainda: a introdução em massa de metais preciosos (facilitada pela descoberta da América) no circuito das relações internacionais de troca favoreceu a acumulação de capitais, criando, assim, uma das condições indispensáveis – juntamente com o aumento das mercadorias postas em circulação pelo comércio marítimo com as Índias Orientais e o Novo Mundo – para a formação da indústria manufatureira e toda a revolução produtiva que se seguiu[39]. O mercado mundial e a grande indústria são, assim, o devir espontâneo do desenvolvimento do comércio internacional e das relações monetárias correspondentes. A moeda mundial, por seu turno, a mercadoria mais refinada do mercado mundial; o passaporte de identidade que confere a única cidadania cosmopolita reconhecida pela sociedade burguesa: a do bolso. Diz Marx:

> Na sua origem, as relações cosmopolitas entre os homens não são mais que suas relações como proprietários de mercadorias. Em si e para si, a mercadoria está acima de qualquer barreira religiosa, política, nacional e lingüística. A sua língua universal é o preço, e a sua comunidade o dinheiro. Mas, com o desenvolvimento da moeda universal em oposição à moeda nacional, desenvolve-se o cosmopolitismo do proprietário de mercadorias

---

38. Cf. *idem, ibidem.*
39. Cf. K. Marx, *Misère de la Philosophie*, in *Oevres-Économie*, Gallimard, Paris, 1965, p. 102.

sob a forma de religião da razão prática em oposição aos preconceitos hereditários religiosos, nacionais e outros, preconceitos esses que entravavam a troca de substância entre os homens[40].

A "religião da razão prática" nada mais é que a expressão de um novo tipo de racionalidade que corresponde às necessidades empíricas de uma época cuja dinâmica social ultrapassou definitivamente o universo restrito e "estático" da feudalidade, mas também os valores humanos que conferiam critérios mais qualitativos e pessoais (mais estéticos) às posses, preferências, sonhos e ideais. Georg Simmel, que na Alemanha da virada do século XIX para o XX ainda pudera testemunhar (por observação direta) os efeitos mutantes que a lógica mercantil operava na vida social ao adentrar os circuitos tradicionalmente constituídos segundo padrões comunitários (estranhamento esse que também fora exercitado por Marx meio século antes), observa que, no limite, a transformação do dinheiro em padrão único e universal de troca – como instrumento que passa a "medir todas as coisas através de uma objetividade impiedosa"[41] – inaugura um novo estilo de vida e de sociabilidade fundado no "cinismo" e na "indiferença", que elimina toda hierarquia de valores pautados na subjetividade humana (ideal/moral). Essa racionalidade reduz todas as antigas estimas numa ordem *objetiva* e *impessoal* de significação. Eleva os valores mais baixos ao cume dos mais altos, transferindo os bens mais refinados, ideais e pessoais daqueles que, embora dignos, estão privados dos meios materiais que lhes conferiram tal reconhecimento, para os únicos que passam a ter-lhes acesso: os proprietários do dinheiro necessário, malgrado qualquer outra sorte de honradez.

> Quanto mais o dinheiro se torna o centro único de interesse – diz Simmel –, mais se percebe serem atingidas a honra e as convicções, o talento e a virtude, a beleza e a salvação da alma, e mais se desenvolve uma mentalidade frívola e debochada relativamente a esses bens existenciais superiores,

---

40. K. Marx, *Contribuição à Crítica da Economia Política, op. cit.*, p. 145.
41. G. Simmel, *Philosophie de l'Argent,* Presses Universitaires de France, Paris, 1987, p. 548.

que passam a estar à venda, como mercadorias no mercado, cedo tornando-se, finalmente, eles também, um "preço definido pelo mercado"[42].

Tais palavras, deve-se observar, ressoam (em semelhante estilo literário) as próprias observações de Marx a respeito da função *cultural* do dinheiro no capitalismo, para quem, após o advento da sociedade burguesa, "tudo o que os homens tinham considerado inalienável se torna objeto de troca, de tráfico [...] tempo em que as próprias coisas que até então eram transmitidas, jamais trocadas; adquiridas, mas nunca compradas – virtude, amor, opinião, ciência, consciência etc. –, em que tudo, enfim, passou ao comércio"[43].

As necessidades racionais da vida moderna, marcadas por operações cotidianas de cálculo, mensurações quantitativas de espaço e tempo, objetivos materialistas e egoístas, e determinadas pela busca da exatidão, do rigor e precisão típicos de uma ritmicidade e simetria de conteúdos de existência próprios do reino da técnica e impostos pelo caráter das relações econômicas monetárias, traduzem, para Simmel, a psicologia de toda uma nova era, em que o dinheiro é introduzido na vida prática como o ideal de sua expressão cifrada, da intensificação e sublimação pura e simples do "econômico" como dimensão única e fundamental da vida humana[44]. Não obstante o lamento contido nas observações de Simmel quanto aos efeitos perversos da modernidade simbolizados na figura do dinheiro universal, tal qual Marx reconhecia ele que, ainda que por portas transversas, uma nova configuração do mundo histórico há muito já estava em curso, mesmo que a universalidade das relações entre os homens se apresentasse como "relações objetivas das coisas" e o caráter relativista do *ser* emergisse ao seio da vida consciente como relatividade dos objetos econômicos encarnada na figura especial e significante do dinheiro[45] (uma tradução da teoria marxiana do fetichismo).

42. *Idem*, pp. 306-308.
43. K. Marx, *Misère de la Philosophie, op. cit.*, p. 12.
44. Cf. G. Simmel, *Philosophie de l'Argent, op. cit.*, p. 567.
45. Vd. *idem*, pp. 661-662.

O surgimento e desenvolvimento do dinheiro mundial apresenta-se, assim, como uma das chaves mais estratégicas para a leitura da passagem da história humana à era da modernidade, para a decifração da natureza qualitativa do conteúdo dos códigos de interatividade da vida moderna no contexto da sociedade burguesa, e para a contabilidade da extensividade universal de um estilo típico de vida, cujo dinamismo, para além dos limites concretos das nacionalidades e dos invólucros místicos das crenças primitivas, inaugura uma nova etapa na conquista da genericidade humana, concreta e progressivamente transnacional, mundial, ainda que travestida (coisificada) na forma da mercadoria (e, portanto, fetichizada).

No limite, nas tendências postas de suas evoluções, o mundo burguês, ao mesmo tempo que não conhece mais qualquer rigidez de fronteiras (conceitual e praticamente) – como a história tem demonstrado –, de outro modo se encontra enclausurado em sua própria mística materialista: não há outra religião que a da concorrência universal; outro deus que o Capital; deus uno e trino: a indústria criadora de valores de troca, Deus-pai; a mercadoria (o dinheiro), esta verdadeira encarnação do "Verbo", Deus-filho; a acumulação e o lucro, o espírito ("santo") movedor das consciências. Nunca, porém, perdendo-se de vista que, neste "culto", é o *mundo* (*e não a nação!*) o verdadeiro templo, a imensa catedral de toda peregrinação, tornando-se tudo o mais nada além que simples "heresia" – ou pura crendice... *is not it?*

4. CONCENTRAÇÃO E CENTRALIZAÇÃO DO CAPITAL

A sociedade burguesa moderna é um tipo histórico de sociedade organizado não apenas em função da produção de mercadorias. Seu produto específico é a *mais-valia*, o trabalho social (criador do valor) apropriado privadamente pelo capitalista com o objetivo de sua permanente valorização, de sua reprodução ampliada[1]. Em termos de movimento histórico, isso significa que "a lei do valor – isto é, a dinâmica social fundada na produção ilimitada de mercadorias – supõe, para

---

1. Diz Marx: "o produto do processo de produção capitalista não é simplesmente *produto* (valor-de-uso) nem simples *mercadoria*, isto é, um produto que tem um valor de troca. Seu *produto específico* é a *mais-valia*. Seu produto são *mercadorias* que possuem mais valor-de-troca, isto é, que representam mais trabalho do que o adiantado para sua produção sob a forma de dinheiro ou mercadoria. No processo capitalista de produção, o *processo de trabalho* só se manifesta como *meio*; o *processo de valorização* (do capital) ou a *produção de mais-valia*, é o fim". K. Marx, *O Capital*, livro 1, Capítulo VI (inédito), trad. de Eduardo Sucupira Filho, L. Ciências Humanas, São Paulo, 1978, p. 32.

o seu completo desenvolvimento, a sociedade da grande produção industrial e da liberdade de concorrência"[2], tendência esta que, no limite, pode ser traduzida (inclusive logicamente) como sinônimo de *universalização*, de *expansão* da forma capitalista de produção. Diacronicamente e em termos macro, a reprodução ampliada do capital confunde-se, assim, com a produção da *mundialidade*. A lei geral da acumulação capitalista se revela, intrinsecamente, *processo de mundialização*. Eis o ponto da questão!

Segundo Marx, qualquer que seja a forma social do processo de produção, em qualquer tempo ou lugar, cultura e civilização, "tem este de ser contínuo, deve ele repetir periodicamente as mesmas fases [...] As condições da produção são simultaneamente as condições da reprodução"[3]. Do que se conclui que, se a produção tem a *forma capitalista*, tê-lo-á de ser, *também, a reprodução*. Ora, o fato é que, diferentemente de outros modos de produção – em que a reprodução significa simplesmente (pelas leis rígidas que ali regem a divisão do trabalho) a renovação das condições de produção originárias, sua reprodução *simples* –, o capitalismo representa um modo de produção por meio do qual o valor antecipado de capital que entra no circuito produtivo é valor *que se expande* no próprio ato de produção (D - M - *P* - M' - D'), reproduzindo-se permanentemente em escala *ampliada*. Não há reprodução do capital (em geral) sem a *expansão* deste.

Quando Marx, no capítulo XXI do livro primeiro de *O Capital*, tematiza o que está denominando de *reprodução simples*, o faz com o propósito precípuo e exclusivo de dar relevo, inicialmente, à inteligibilidade *lógica* básica de funcionamento do modo capitalista de produção; isto é, propõe inicialmente uma atenção concentrada na "análise do processo em sua pureza", abstraindo temporariamente (por razões didáticas) "todos os fenômenos que dissimulam o funcionamento interno do seu mecanismo"[4]. Ou seja: abstraindo-se os fatores históricos que determinam a dinâmica do funcionamento do

---

2. K. Marx, *Contribuição à Crítica da Economia Política*, op. cit., p. 59.
3. K. Marx, *Capital*, vol. 1, cap. 23, p. 711 [e.b., livro 1, vol. 2, cap. XXI, p. 659].
4. *Idem*, cap. 22, p. 710 [e.b., cap. XX, p. 658].

sistema na sua globalidade (o mercado, a concorrência, a luta de classes), a própria estrutura da produção capitalista *em si mesma* (sua dinâmica interna) – a conversão do trabalho excedente não pago (mais-valia) em mais capital (acumulação) – constitui-se em objeto fundamental prévio de entendimento para o deslindamento subseqüente do conjunto do sistema. E isso porque, no limite, "deixando de lado a acumulação propriamente dita, [no capitalismo] a mera continuidade do processo de produção (a sua reprodução simples), cedo ou tarde, transforma necessariamente todo capital em capital acumulado ou mais-valia capitalizada"[5]. Dito em outras palavras: o capital, por estar assentado, como ponto de partida (lógico e histórico) numa forma de organização produtiva voltada à geração de valores de troca que, para tal, separa as condições objetivas do trabalho e o produto deste do próprio trabalho com o objetivo de extrair valor excedente (não pago), esse modo de produção está *geneticamente* destinado a se expandir às custas da rotação cíclica desse pressuposto, ora aumentando o seu valor pelo emprego de mais força-de-trabalho (capital variável), ora pela conversão de parte da mais-valia (trabalho não pago) em novos instrumentos (aperfeiçoados) de trabalho (capital constante). Na prática, portanto, a reprodução simples do capital torna-se, necessariamente, reprodução *ampliada* e, a acumulação, tão-somente a reprodução do capital em escala crescentemente progressiva.

Mas Marx vai além dessa fundamental e necessária abstração inicial. Explica, em seguida, que, *no plano da realidade*, da totalidade do processo como movimento real (*devir*), a renovação da produção capitalista não se realiza numa ilha perdida qualquer nem o capitalista é um Robson Crusoé nem as mercadorias vão ao mercado com seus próprios pés. Antes: os atores da história, são *classes* sociais; o palco real é o mercado, e o cenário, o mundo; o circuito da circulação das mercadorias é o mundo da *competição*; o capital em geral é o conjunto de capitais individuais *em competição* (*as well*); o desenvolvimento das forças produtivas e o barateamento do preço das mercadorias – resultante do incremento da produti-

---

5. *Idem*, cap. 23, p. 715 [e.b., cap. XXI, p. 663].

vidade do trabalho e do rebaixamento do tempo médio socialmente necessário à produção dos valores – é a principal arma de guerra; a conquista de mercados e a busca dos lucros, o significado intrínseco de todo esse processo de competição.

[O] desenvolvimento da produção capitalista torna necessária a elevação contínua da quantidade de capital empregado num dado empreendimento industrial, e a concorrência subordina cada capitalista individual às leis imanentes da produção capitalista, como leis coercitivas e externas. Compele-o a manter a expansão contínua de seu capital, e ele só pode expandi-lo por meio da acumulação progressiva[6].

A própria Revolução Industrial representa a tradução dessa máxima, na medida em que é uma revolução na *composição técnica* do capital – um salto para um novo patamar na composição orgânica do capital a partir do qual a máquina (capital constante) ganhou definitiva e progressivamente a preeminência sobre o trabalho subjetivo (capital variável) –, fato esse provocado pela tensão contínua (imposta pela concorrência) à conversão de parte substancial da mais-valia em mais capital, com o objetivo de multiplicar as forças produtivas do trabalho e acelerar, assim, ainda mais, a sua capacidade de produzir mais-valia ampliada.

A concorrência, para Marx, é a "natureza interna do capital"[7] – visto que este só pode existir como pluralidade de capitais (não importa se pequenos ou grandes); do que decorre, no plano de sua própria historicidade, que a autodeterminação do capital em geral (o incremento constante das forças produtivas) se manifesta como ação (tensão) recíproca dos capitais entre si; e essa sua tendência interna, como necessidade exterior. Além do mais, a concorrência é o combustível de sua progressiva expansão, de sua reprodução ampliada, de sua *mundialização*. Todos os fundamentos contidos no que Marx denomina de "a Lei Geral da Acumulação Capitalista" – e que conduz (conforme será demonstrado a seguir) à mundialização (globalização) do capital – repousam na função orgânica (intrinsecamente estrutural) cumprida pela con-

6. *Idem*, cap. 24, p. 739 [e.b., cap. XXII, p. 688].
7. K. Marx, *Grundrisse*, *op. cit.*, p. 366.

corrência na formatação última do tipo de dinâmica social que, desde as origens, tem plasmado a civilização da mercadoria. E se isso já pode ser vislumbrado com certa nitidez desde o capítulo XXIII do primeiro livro de *O Capital* (em que a "Lei Geral" é tratada especificamente como tema), torna-se ainda mais evidente quando levada em consideração a análise marxiana do processo de produção capitalista na sua globalidade, na superfície de suas manifestações complexas determinadas pela lógica e força do mercado.

O processo global da produção capitalista é o objeto central da atenção de Marx no livro terceiro de *O Capital*, constituindo-se num primeiro passo em direção à reconstituição analítica do modo de produção capitalista considerado *totalidade concreta em movimento*. Esse salto deveria ser completado, *a posteriori*, pelas análises sistemáticas a respeito das relações internacionais e do mercado mundial – avanços teóricos que, porém, embora previstos pelo autor, ficaram inconclusos pelas razões já referidas no primeiro capítulo. De qualquer maneira, trata-se aqui de não mais considerar o capital apenas como processo imediato de produção (objeto do livro primeiro) ou de circulação (livro segundo) – ou mesmo tomados ambos tão-somente como fases ou momentos de uma mesma unidade orgânica. Nos dois primeiros livros, o objetivo primordial de Marx era explicitar ao leitor, por meio de análises mais abstratas (puras) e tipificantes, as engrenagens e a mecânica de funcionamento do modo de *ser* do capital como forma histórica singular de produção e sociabilidade – seus fundamentos sociológicos mais essenciais –, partindo "não mais que de um capital individual, o movimento de uma fração autônoma do capital social"[8]. O livro terceiro, pelo contrário, é um retorno gradativo à superfície real das manifestações concretas (complexas) desse *ser* (com toda a multiplicidade e multidimensionalidade de sua materialidade efetiva), cujas evidências fenomênicas podem agora atingir um nível de compreensividade científica mais adequado, uma vez percorrida toda a fase preparatória da trajetória analítica anterior.

---

8. K. Marx, *Capital*, vol. 2, cap. 18, p. 429 [e.b., livro 2, vol. 3, cap. XVIII, p. 378].

Marx sai dos bastidores da oficina onde é produzida a peça e começa a entrar no verdadeiro palco de sua encenação, onde os capitais aparecem enfrentando-se em formas concretas, em luta concorrencial, em disputa pelo mercado e pela realização de taxas favoráveis de lucratividade[9]. As anteriores equações de primeiro grau – no interior das quais se defrontavam capitalistas individuais com trabalhadores, abstraídas as condições gerais dessa dialética – agora atingem um grau mais elevado de complexidade: é o *conjunto* das relações dos capitalistas entre si, e destes com a classe trabalhadora como um todo (como equações de "segundo" e "terceiro" graus), o que importa. "O que ocorre no caso de um capital individual, também sucede na reprodução [...] global"[10]. Nesse patamar analítico, o ângulo de abordagem da realidade se amplia, ganha lentes de aumento e níveis mais refinados de complexidade. Conseqüentemente, novos conceitos e formulações passam a ser trabalhados e introduzidos no contexto de análise, sem que os anteriormente equacionados percam sua validade (conservando-se o mesmo substrato da análise da reprodução simples). Ao contrário, estes são agora apropriados, desenvolvidos e confrontados com os novos, ampliando-se assim o alcance do potencial heurístico disponível: a mais-valia é "transformada" em lucro e a taxa de mais-valia, em taxa de lucro; o lucro, em lucro médio (além de ser subdividido em lucro, juro e renda da terra); o capital-mercadoria e o capital-dinheiro metamorfoseiam-se em capital comercial e capital financeiro; surgem os bancos, o sistema de crédito, a taxa de câmbio etc.

9. "Para explicar a produção da mais-valia – argüi Michael Heinrich – é requerido inicialmente uma análise do processo imediato de produção, e seguindo este, do processo de circulação, como um necessário complemento do processo de produção. Entretanto, a introdução do processo de circulação faz aparecer a mais-valia como sendo determinada pelo tempo de circulação e não somente pelo sobre-trabalho apropriado no processo imediato de produção. Quando a mais-valia é medida contra o capital total adiantado, ela assume a forma transformada de lucro." M. Heinrich, "Capital in general and the structure of Marx's Capital", *in Capital & Class*, n. 38, Summer, London, 1989, pp. 65-66.

10. K. Marx, *Capital*, vol. 2, cap. 21, p. 565 [e.b., livro 2, vol. 3, cap. XXI, p. 521].

O capital, aqui, já pode ser pensado como síntese de *múltiplas determinações*. Logo, a compreensão de todo o processo – uma vez esclarecidos seus fundamentos – deve ser, finalmente, alargada e instruída para captar/deslindar as formas múltiplas e diversas de materialização do movimento global do sistema, completando-se a tarefa de desmistificação de sua aparência fenomênica. Nesses horizontes,

o capital percorre o ciclo de suas metamorfoses, e finalmente ele dá um passo à frente como se isso proviesse de sua vida orgânica interna para suas relações externas, em que se confrontam entre si não capital e trabalho, mas, de um lado, capital e capital (capitais individuais) e, do outro, indivíduos na condição de simples vendedores e compradores. Entrecruzam-se o tempo de circulação e o tempo de trabalho, e ambos igualmente parecem determinar a mais-valia. A forma original em que se defrontam capital e trabalho assalariado é disfarçada pela intervenção de relações que parecem ser dela independentes; a própria mais-valia não aparece como tendo sido produzida pela apropriação do tempo de trabalho, mas como um excesso do preço de venda sobre o preço de custo, e que, por isso, prontamente se apresenta como valor intrínseco daquelas relações, de modo que o lucro aparece como excedente do preço de venda das mercadorias sobre seu valor imanente[11].

O plano de análise se desloca para o mercado real. Neste, a dialética não se resume às relações contraditórias entre capital e trabalho, mas envolve também aquelas dos capitais entre si e de vendedores e compradores. Fica então demonstrado que, embora a mais-valia se origine (sempre) diretamente no processo de produção pela exploração do sobretrabalho (não pago) pelo capital, sua *realização efetiva*, para cada capitalista em particular, irá depender do jogo da concorrência, da capacidade de cada um em colocar seus produtos à venda com preços competitivos, decorrendo o maior ou menor ganho (e mesmo prejuízo) para as partes envolvidas, desse exercício de "logro recíproco" – e não apenas da exploração direta do trabalho. Se a mais-valia é o produto da relação direta entre capital e trabalho, o lucro é a forma assumida pela mais-valia na relação do capital consigo mesmo; isto é, o lucro é a mais-valia transfigurada (e dissimulada) no processo de circulação em função da dinâmica concorrencial direta entre capitais –

---

11. *Idem*, vol. 3, cap. 2, p. 135 [e.b., livro 3, vol. 4, cap. II, p. 47].

parecendo, então, o valor excedente, originar-se das propriedades inerentes ao próprio capital circulante.

Mas, mais-valia e lucro são expressões idênticas de uma mesma magnitude apenas do ponto de vista do capital *em geral* (tomado enquanto totalidade). Dessa perspectiva, uma determinada massa de mais-valia corresponde, em princípio, a uma outra equivalente de lucro – tendo ambas, como substrato, a diferença entre a totalidade de trabalho contida no conjunto das mercadorias produzidas e a soma de trabalho pago ali envolvida (isto é, entre o valor gerado e o salário). Contudo, desfeita essa abstração pedagógica preliminar e aterrissado o raciocínio sobre o mundo concreto no qual o capital total existe e se movimenta sob a forma de capitais individuais, antagônicos, verificar-se-á que a distribuição daquela magnitude de valor pelas várias unidades e setores econômicos será canalizada de maneira *desigual*, em proporções diferenciadas, conforme a capacidade competitiva de cada contendor. Ora, o que é que confere, em última instância, essa maior ou menor capacidade de competitividade entre os vários capitais senão sua capacidade de colocar produtos no mercado a preços relativamente mais reduzidos? E o que é que garante essa "mágica" senão o aumento da produtividade do trabalho determinado por incrementos nas condições materiais da produção? E como isso é obtido, senão por meio de inversões (reinvestimentos) cada vez maiores de capital em mais capital (equipamentos, novas tecnologias etc.) – o que implica em mais acumulação, mais concentração de capital, aumento do valor relativo de sua parte constante (capital fixo), de sua composição orgânica? Aqui, a dialética da concorrência é determinante. Já não basta ter-se ciência das influências que a luta direta entre capital e trabalho tem na transformação das bases materiais do modo capitalista de produção. A moeda tem duas faces. A competição entre capitais joga, também, um papel decisivo na conformação da lei geral da acumulação capitalista.

No circuito da concorrência, onde se processa a reprodução global do capital, as atenções de Marx se transferem do espaço em que a mais-valia é gerada – a esfera da produção (tema do primeiro livro de *O Capital*) –, para aquele no qual ela se *realiza* – a esfera da circulação –; mas agora de uma forma mais completa que as análises contidas no segundo livro (que já trata da circulação). Na superfície da trama histórica trazida à cena defrontam-se capitais concorrentes entre si, todos ávidos por maximizar a mais-valia auferida nos subterrâneos escondidos de suas fábricas. E nada garante, *a priori*, o sucesso desse objetivo. Tudo dependerá da capacidade produtiva, da demanda efetiva, das condições de preço e da capacidade de compra, da qualidade e quantidade das mercadorias, da situação dos concorrentes e de seus produtos etc. Nesse cenário, não basta mais medir a taxa de mais-valia (que é a razão entre trabalho não pago e capital variável), isto é, o grau de exploração da força de trabalho; a contabilidade, agora, tem que registrar medições de outra natureza e que decorrem da relação do capital consigo próprio: surge a *taxa de lucro* (isto é, a razão entre a mais-valia e a totalidade do capital). E, aqui, a metamorfose é considerável. Pois se mais-valia e lucro, em geral, coincidem em volume e magnitude, taxa de mais-valia e taxa de lucro, ao contrário, diferem quantitativamente entre si por simbolizarem unidades de medida diversas. A análise da reprodução do capital ganha novas cores; tridimensionaliza-se. A teoria da acumulação do capital ganha novos elementos ao ser agora projetada, com maior nitidez, sua dinâmica de superfície (mas que também é parte substantiva e constitutiva do real): as contradições do capital consigo mesmo.

No mundo real, os diversos ramos, setores e unidades do capital não se apresentam como estruturas homogêneas em movimento. Tomados esses em sua singularidade, verificar-se-á que diferem quanto à composição orgânica (razão entre capital constante e capital variável na formação do valor), ao grau de exploração da força de trabalho (taxa de mais-valia) e ao tempo de rotação na produção e circulação das mercadorias e sua venda (realização da mais-valia). Todos esses fatores interferem na formação da taxa de lucro, seja esta tomada como média, seja quando aplicada a cada capital individualmente. Em outras palavras, trata-se de constatar que as condições de transformação da mais-valia em lucro, ou, mais exatamente, da taxa de mais-valia em taxa de lucro (o ciclo necessário à reprodução do capital), varia em cada contexto em função da interferência e do peso que exercem esses vários elementos nos vários setores da atividade econômica.

A conversão da mais-valia em lucro nunca é um processo cristalino. O caminho entre a fábrica e o mercado, entre a criação do valor e sua realização, revela-se uma trajetória extremamente acidentada, sinuosa, carregada de mediações. O espaço da circulação é um campo de guerra, de infinitas batalhas, de estratégias e segredos, táticas e artimanhas; onde se mata e se rouba; onde os vitoriosos são apenas aqueles que conseguem transformar (pela venda) o valor excedente não pago contido em suas mercadorias em dinheiro, e os derrotados, todos os demais frustrados em seus idênticos ideais. Nesse frenesi, em meio a um carnaval de preços, risos e lamentações, valores em circulação são transferidos de mãos, os frutos da exploração do trabalho são repartidos e saboreados em porções desiguais pelos participantes da festa, superlucros e falências se revezam como movimentos opostos de uma mesma gangorra. Marx exercita inúmeras situações hipotéticas para demonstrar como, no processo real, nem sempre altas taxas de mais-valia correspondem a altas taxas de lucro ou altas taxas de lucro se traduzem, efetivamente, em maiores ganhos para o capitalista individual; e como, em contrapartida, dependendo da relação entre oferta e demanda, pequenas taxas de lucro contidas no valor final de um produto convertem-se, muitas vezes, em superlucros para seu dono[12]. Tudo isso porque nem sempre o mercado (a demanda social global) está pré-disposto ou capacitado a consumir todas as mercadorias em oferta, tornando-se, nesse caso, seletivo quanto às condições de preço à disposição:

> A hipótese de que as mercadorias dos diferentes ramos são vendidas pelos valores (nelas contidos) nada mais significa que este valor é o centro de gravidade em torno do qual os preços giram e em reação ao qual seu constante crescimento e queda é contrabalançado. Além disso, entretanto, existe sempre um *valor de mercado* distinto do valor individual das diversas mercadorias particulares produzidas pelos diferentes produtores[13].

---

12. Vd. partes primeira, segunda e terceira do livro 3 de *O Capital, op. cit.*
13. *Idem*, vol. 3, cap. 10, p. 279 [livro 3, vol. 4, cap. X, p. 202].

O valor de mercado é aquele correspondente ao valor médio das mercadorias produzidas num determinado ramo ou setor (em função do tempo médio socialmente necessário à sua produção), traduzindo-se em preços médios incorporados aos produtos finais postos em oferta. Do que decorre que, pela diferenciação das condições de produção particulares a cada capital ou ramo de capital (composição orgânica, tempo de rotação etc.), haverá valores/preços individuais de mercadorias ofertados na média, abaixo ou acima daquele de mercado, sucedendo que, nas situações em que o valor médio satisfaz a procura corrente, "realizam as mercadorias de valor individual abaixo do valor de mercado, mais-valia extra ou superlucro, enquanto as de valor individual acima do valor de mercado não podem realizar parte da mais-valia nelas contida"[14] – tendendo, para essas, a procura ser cada vez menor. Afora tais contextos de "normalidade", somente em conjunturas excepcionais as mercadorias produzidas nas piores ou melhores condições (acima ou abaixo do tempo médio de trabalho socialmente necessário) passam a regular o valor de mercado: no caso de demanda excessiva, o fiel da balança é transferido para as mercadorias produzidas em piores condições, ocorrendo o inverso quando a oferta excede a demanda.

Com todo esse argumento, o que interessa a Marx é chamar a atenção para o fato de que, se do ponto de vista do capital social é "o valor global das mercadorias que regula a mais-valia global e, esta, o nível do lucro médio e por conseqüência a taxa geral de lucro" – significando que, como lei geral ou tendência que domina as flutuações, é a lei do valor que rege os preços de produção –, contudo (na prática), "é apenas a concorrência dos capitais nos *diferentes* ramos que dá origem ao preço de produção que uniformiza as taxas de lucro entre aqueles ramos"[15]. No plano histórico-concreto, a realização da mais-valia global não se confunde com a realização da mais-valia para cada capital individual, da mesma forma que as taxas de mais-valia e as taxas de lucro. A reprodução global do capital não é a reprodução de todos os capi-

14. *Idem, ibidem.*
15. *Idem*, p. 281 [e.b., p. 204].

tais individuais. No circuito do mercado e da concorrência, salvo as situações extraordinárias – como acima referido –, apenas os capitais mais competitivos – capazes de oferecer seus produtos a preços vantajosos – tornam-se aptos a prosperar, na medida em que canalizam para si as opções da demanda real. Em outros termos, a dinâmica da concorrência impõe progressivamente aos capitais um investimento cada vez maior em tecnologia produtiva, o que se traduz em melhoramentos nas condições de fabricação das mercadorias (redução do tempo de trabalho necessário à sua criação) e sua adequação competitiva relativamente ao valor médio de mercado. Esse esforço contínuo, visando ao aumento da produtividade, leva a uma sempre crescente concentração de capital, a uma variação do grau de sua composição orgânica pelo aumento de sua parte constante (maquinaria) relativamente àquela variável (força de trabalho), fator que é responsável, em última instância, pela redução dos preços das mercadorias, na medida em que cada produto individual passa a conter, em si, menor quantidade de trabalho vivo incorporada. Em conseqüência, o gradual decréscimo do capital variável em relação ao constante, refletindo-se na ascensão progressiva da composição orgânica do capital social médio, faz com que a taxa geral de lucro (que é a razão entre mais-valia e a totalidade do capital) tenda continuamente a cair. Daí porque, para Marx, ser da essência do modo capitalista de produção que, "ao desenvolver-se ele, a taxa média geral de mais-valia tenha de ser expressa em uma taxa geral cadente de lucro"[16] – e isso não pela diminuição da exploração do trabalho e sim pela redução relativa de seu emprego face ao capital aplicado.

A queda geral da taxa de lucro não significa, contudo, diminuição da massa de mais-valia e de lucro geradas[17]. Apenas indica que

com o decréscimo relativo do capital variável, e portanto com o desenvolvimento da produtividade social do trabalho, massa cada vez maior de capital é necessária para pôr em movimento a mesma quantidade de força de traba-

---

16. *Idem*, cap. 13, p. 319 [e.b., cap. XIII, p. 243].
17. Uma vez que essa advém não do decréscimo absoluto e sim *relativo* da parte variável do capital global.

lho e para absorver a mesma quantidade de trabalho excedente, (...) [sendo que] se a taxa de lucro diminui de 50% (por exemplo), tem então o capital que duplicar-se para manter a mesma massa de lucro[18].

Além do mais, do ponto de vista do capitalista individual (e mesmo do capital em geral), é necessário que a redução do lucro (diminuição do preço) por unidade de produto seja compensada por um acréscimo no número de mercadorias postas em circulação, garantindo-se ao final, por essa via, o aumento da massa do lucro. "De fato – diz Marx – a queda dos preços das mercadorias e o aumento da massa de lucro sobre o crescimento da massa maior de mercadorias mais baratas, é apenas outra expressão da lei da taxa cadente de lucro no contexto de um acréscimo simultâneo da massa de lucro"[19]. Ou seja, a cada redução da taxa média de lucro, uma massa maior de capital concentrado (constante) é exigida para compensar a queda do valor médio das mercadorias pelo aumento da quantidade numérica dos valores produzidos, cuja massa de mais-valia passa a ser realizada (no mercado) cada vez mais pelo atacado e cada vez menos pelo varejo. O resultado de todo esse processo em cadeia é que apenas os capitais de composição (orgânica) superior – porque capazes de sobreviver em contextos de baixa taxa média de lucro (pelas razões apontadas acima) – tendem a sustentar-se nessa escalada concorrencial. A concorrência leva à concentração e esta à eliminação progressiva dos mais débeis. Os mais fortes, então, apropriam-se de faixas cada vez maiores do mercado e realizam, em conseqüência, um montante maior de lucro (pela expansão de suas vendas), apesar da queda da taxa (refletida na redução dos preços unitários das mercadorias). Impõe-se a lei férrea da acumulação capitalista.

No capitalismo, devido à concorrência, cada acumulação se torna meio para nova acumulação. Cresce constantemente a massa de capital (o capital social), a base da produção em grande escala e a concentração de riquezas, deslocando a todo instante a escala em que se realiza a concorrência em geral.

---

18. *Idem*, cap. 13, pp. 328-329 [e.b., cap. XIII, p. 254].
19. *Idem*, p. 338 [e.b., p. 264].

O crescimento do capital social realiza-se através do crescimento de muitos capitais individuais [...] Ao mesmo tempo, ramificações se destacam dos capitais originais e começam a funcionar como novos capitais independentes [...] a parte do capital social localizada em cada ramo particular da produção reparte-se entre muitos capitalistas que se confrontam como produtores de mercadorias mutuamente independentes e competitivos [...] Por isso, a acumulação se apresenta, de um lado, como aumento da concentração dos meios de produção e do comando sobre o trabalho, e, do outro, como repulsão recíproca de muitos capitais individuais[20].

Contudo, embora o número de capitalistas possa aumentar em termos absolutos à medida que se desenvolve e se expande a produção e a acumulação, tal crescimento se dá – relativamente a contextos anteriores – em proporções cada vez menores em razão da escala progressivamente ampliada em que o processo de trabalho se efetiva e (o que é sinônimo) dos desembolsos crescentes que passam a ser exigidos a cada estabelecimento particular para poder entrar (ou permanecer) no campo de guerra. Por isso é que essa tendência de proliferação do capital social em muitos capitais individuais é, ao mesmo tempo, contrariada pelo movimento oposto de atração entre os mesmos, fenômeno este forçado pelos imperativos da corrida que conduzem à acumulação. Quando isso passa, então, a ocorrer,

não se trata mais de simples concentração dos meios de produção e do comando sobre o trabalho, a qual é idêntica à acumulação. O que temos agora é a concentração de capitais já formados, a destruição de suas autonomias individuais, a expropriação do capitalista pelo capitalista, a transformação de muitos pequenos em poucos grandes capitais. Este processo se distingue do primeiro porque pressupõe apenas uma mudança na repartição de capitais que já existem e estão funcionando. Seu campo de ação não está, portanto, limitado pelo crescimento absoluto da riqueza social – pelos limites absolutos da acumulação. O capital se acumula, aqui, nas mãos de um só, porque escapou das mãos de muitos, noutra parte. Esta é a centralização propriamente dita, que não se confunde com a acumulação e a concentração[21].

Para Marx, a razão desse salto é explicada pelo fato da centralização representar uma estratégia de aceleração da pró-

20. K. Marx, *O Capital*, vol. 1, cap. 25, pp. 776-777 [e.b., livro 1, vol. 2, cap. XXIII, pp. 726-727].
21. *Idem*, p. 777 [e.b., p. 727].

pria acumulação, uma vez que a aglutinação quantitativa de capitais precipita, por efeito desse adensamento, transformações qualitativas em sua própria composição técnica. Ou seja, por ativar com maior rapidez a concentração propriamente dita, a centralização é fenômeno que estende e amplia a capacidade de intervenção do capital no espaço social: "O mundo ainda estaria sem estradas de ferro se tivesse tido que esperar até que a acumulação houvesse capacitado alguns capitais individuais a estarem adequados o bastante para a construção de uma ferrovia. A centralização, entretanto, por meio da organização de sociedades anônimas, executou isto num piscar de olhos"[22].

O movimento de concentração do capital deságua, lógica e historicamente, na *centralização* de capitais, o que demarca um novo patamar da luta concorrencial entre capitais individuais, agora sempre mais robustos: sua fase *monopolista* – a lei tendencial da evolução do capitalismo. "Marx não raciocinava, como por vezes se diz – lembra P. Dockès –, num quadro (puramente) concorrencial, mas sim num capitalismo onde a concorrência [já então] criava a sua negação, [isto é] a concentração da produção"[23]. O fato é que o século XX veio a ser o documento vivo da concretização dessa tendência e da validação empírica do núcleo central da teoria marxiana, projetada desde o Oitocentos. Na *Era dos Extremos* (como diria Hobsbawm), redesenha-se o mercado mundial e a geopolítica de todo o sistema global na razão direta da busca, pelo grande capital, de novas fontes de oxigenação, dado que já não se mostravam suficientes aquelas circunscritas aos tubos anteriormente limitados dos invólucros nacionais de suas matrizes. Envolve-se "todos os povos na rede do mercado mundial e, com isso [consolida-se ainda mais] o crescimento do caráter internacional do regime capitalista"[24]. Amplia-se e ramifica-se o sistema de crédito como veias artificiais (redes internacionais) que ajudam a canalizar do mundo inteiro os recursos financeiros dispersos, proporcionando uma melhor pulsação e circulação para todo o

22. *Idem*, p. 780 [e.b., p. 729].
23. P. Dockès, *L'Internationale du Capital*, op. cit., p. 174.
24. K. Marx, *Capital*, vol. 1, cap. 32, p. 929 [e.b., livro 1, vol. 2., cap. XXIV, p. 881].

sistema e um ritmo mais acelerado dos batimentos de seu coração: o capital monopolista. O monopólio é uma nova escalada do processo de concentração do capital. Por isso não é fórmula, é movimento:

> O monopólio produz a concorrência, a concorrência produz o monopólio. Os monopolistas fazem entre si a concorrência, os concorrentes tornam-se monopolistas. Se os monopolistas restringem a concorrência entre si por meio de associações parciais, a concorrência aumenta entre os operários; e quanto mais a massa dos proletários cresce em face dos monopolistas de uma nação, mais desenfreada se torna a concorrência entre os monopolistas das diferentes nações. A síntese é tal que o monopólio apenas pode manter-se passando continuamente pela luta da concorrência[25].

O império do monopólio é governado pela lei das selvas, onde reinam apenas os mais fortes. A sobrevivência dos pequenos capitais depende da dinâmica do desenvolvimento dos vários ramos e setores da produção e que é determinada, em última instância (e a partir de certo estágio de evolução do capitalismo), pelo movimento dos grandes capitais – em relação aos quais toda a economia passa a gravitar. Tendencialmente, aqueles estão sempre na iminência de serem tragados por estes, valendo aqui um efeito paralelamente correspondente ao da lei da gravitação universal: matéria atrai matéria na razão direta das massas. O fato é que a necessidade de auto-valorização dos grandes conglomerados torna-os invasores de todo o planeta, consumidores de todo o mercado mundial. A única possibilidade de resistência a essa ação, por parte dos pequenos capitais, repousa em sua própria capacidade de acumulação, o que os empurra, igualmente, para a centralização.

> Esta é a lei que empurra constantemente a produção burguesa para além dos seus velhos limites e obriga o capital a mobilizar sempre mais forças produtivas do trabalho, pela mesma razão que ele já se mobilizou anteriormente; a lei que não lhe permite um momento sequer de sossego, sussurrando-lhe incessantemente ao ouvido: Avante! Avante! (...) [Portanto, se compreendemos] esta agitação febril projetada ao mesmo tempo sobre *todo o mercado mundial* (grifo de Marx), formaremos uma idéia de como o crescimento, a acumulação e a concentração do capital trazem consigo uma

---

25. K. Marx, *Misère de la Philosophie, op. cit.*, p. 116.

divisão do trabalho, uma aplicação de nova maquinaria e um aperfeiçoamento da antiga num processo que segue ininterruptamente, com uma velocidade febril e em uma escala cada vez mais gigantesca[26].

No campo de batalha que é o *mundo,* vencem os capitais mais ativos e inovadores. "A centralização completa a tarefa da acumulação, capacitando os capitalistas industriais a ampliar a escala de suas operações"[27]. O ciclo de reprodução ampliada do capital atinge, então, um outro ritmo na espiral de seu desenvolvimento, ao ponto de não haver mais, tendencialmente, acumulação sem centralização. A esse nível, a reprodução ampliada do capital (que coincide com a intensificação de sua centralização) não conhece mais limites: encampa todos setores econômicos, extinguindo ou ampliando antigos e criando novos; expande, transforma e rearticula as formas organizativas da produção; subordina economias nacionais, inter/multi/transnacionalizando as bases materiais do sistema produtivo como um todo, numa demonstração de que, na geografia do lucro, não há fronteiras.

A mundialização da produção (a *centralização transnacional* do capital) é um novo patamar na escalada expansionista do capitalismo. Expressa um ciclo avançado da concorrência entre grandes capitais, os quais, pelo próprio grau de concentração/centralização atingido, já não podem mais reproduzir-se senão em escala *supranacional, global.* Por isso, o capital se torna mundo e o mundo se torna capital. E no decorrer desse processo ininterrupto, intensificam-se os contornos e o dinamismo de um mercado efetivamente cada vez mais planetarizado, onde a única soberania passa a ser aquela determinada unicamente pelo tamanho da propriedade. Consolida-se o império dos oligopólios empresariais globais, do capital superacumulado, ingressando-se, finalmente, na chamada *era do globalismo*[28], da mundialidade empiricamente revelada.

---

26. K. Marx, *Trabajo Asalariado y Capital*, Nova Terra, Barcelona, 1970, pp. 48-49.
27. K. Marx, *Capital*, vol. 1, cap. 25, p. 779 [e.b., livro 1, vol. 2, cap. XXIII, p. 728].
28. O. Ianni, *A Era do Globalismo*, Civilização Brasileira, 1996.

5. A TEORIA DAS CRISES

Com o capitalismo, a história atinge um patamar definitivamente mundial, *global*. E como o mercado é *mundial*, a cadeia do sistema produtivo é *mundial*, assim como a reprodução do capital, se-lo-ão *mundiais*, também os efeitos contraditórios dessa expansão civilizatória: o abarrotamento dos mercados, as crises cíclicas, os impasses e as paralisações.

As sucessivas "epidemias de superprodução" que passaram a irromper a partir de meados do século XIX, afetando todo o conjunto do sistema capitalista, já não mais figuravam como simples ocorrências locais, nacionais ou simplesmente "européias". Desde então, essas crises, tal qual poderes infernais que escapam ao controle do feiticeiro que os pôs em movimento, transbordam para todos os lados – sob a forma de "dejetos sociais" – os acúmulos do "excesso de civilização" que já não cabem no recipiente limitado da propriedade burguesa: falências, desemprego, pauperismo, subconsumo, violência e toda sorte de barbarismo. Ao abalar indistintamente e de forma combinada (ainda que desigual) os vários níveis, instâncias, setores e organizações da vida social em todas as zonas e regiões do planeta, as periódicas e permanentes crises sistêmicas, tal qual sintomas sensíveis que emergem na epiderme da complexa tessitura do organismo da sociedade global, manifestam em toda a sua crueza o estádio avançado de uma guerra molecular de dimensões universais, confirmando o diagnóstico de que, no mundo moderno, o processamento da dinâmica e o alcance das contradições entre os homens não se dá mais sob outra forma que aquela, generalizada e incontrolável, da "metástase":

> As crises comerciais que se manifestam durante o século XIX, em particular as grandes crises de 1825 e 1836 [...] já não eram fenômenos econômicos isolados, como em Hume a depreciação dos metais preciosos nos séculos XVI e XVII ou, como em Ricardo, a depreciação do papel-moeda no decurso do século XVIII e princípios do século XIX; eram agora as grandes tempestades do mercado mundial onde explodia o conflito entre todos os elementos do processo de produção burguesa[1].

Em um sistema mercantil de funcionamento articulado mundialmente, em que a saúde do conjunto do sistema passa a depender de cada veia particular por onde flui a circulação que dá vida ao organismo, cada impasse ou problema proveniente de qualquer zona restrita do circuito atinge necessariamente o organismo como um todo. Para Marx, desde o começo do século XVIII não teria ocorrido "nenhuma revolução séria na Europa que não tenha sido antecedida por uma crise comercial e financeira"[2] baseada em causas *supranacionais* – aplicando-se essa máxima tanto à revolução de 1789, quanto de 1848[3] –, estendendo-se essa mesma lógica para o século XIX *oversea*, num contexto em que a prosperidade havia ra-

---

1. K. Marx, *Contribuição à Crítica da Economia Política, op. cit.*, p. 170.
2. K. Marx, "La Revolución en China y en Europa", *in* K. Marx e F. Engels, *China: ¿Fósil viviente o trasmisor revolucionario?*, Universidad Nacional Autonoma de Mexico, 1975, p. 59.
3. Para Marx, as revoluções na Europa só podiam ser entendidas no contexto das relações *mundiais* do capitalismo. Tanto que, sejam às causas da crise, quanto à sua superação, são atribuídas razões maiores de ordem internacional para além daquelas simplesmente circunscritas ao plano "nacional". A crise do comércio mundial de 1847 – por exemplo –, "com suas

pidamente se transformado em raiva dos príncipes e fúria dos povos, desalojados, respectivamente, de sua autoridade milenar e padrões tradicionais de vida. Essa visão de relação dialética entre o todo e suas partes, de interferência recíproca e condicionamento dinâmico entre realidades e contextos componentes de um mesmo sistema econômico de materialidade mundial, emerge com toda a clareza nas análises que Marx elabora a respeito dos impasses comerciais entre a Europa Ocidental e a China, ocorridos em meados do século XIX, quando, em plena ascendência do imperialismo ocidental, passam a ocorrer rebeliões por parte dos povos colonizados da Ásia e, em meio ao alvoroço, uma intensa disputa entre as nações colonialistas pelos mercados asiáticos em efervescência revolucionária.

Noticiava-se, então, a cada dia nas capitais européias, possibilidades de uma guerra mundial[4], destacando-se no epicentro do conflito e da crise, a Inglaterra, àquela altura força inquestionavelmente hegemônica dentre os "traficantes da civilização"[5]. Para demonstrar que o sistema capitalista há muito houvera deixado de depender unicamente dos humores

---

repercussões em [todo] o continente europeu", é tomada como a verdadeira parteira da revolução de fevereiro e março, assim como a volta paulatina da prosperidade no comércio e na indústria, reiniciada no curso de 1848 – e que alcançou seu pleno florescimento em 1849 e 1850 –, é indicada como a força que reanimou a reação européia novamente fortalecida, paralisando o surto revolucionário em território francês. Da França, em particular, é dito: "O desenvolvimento da prosperidade na França foi, dentre outros fatores, particularmente favorecido pela vasta reforma alfandegária da Espanha e pela redução das taxas alfandegárias sobre os diversos artigos de luxo no México; a exportação das mercadorias francesas, nesses dois mercados, foi notavelmente aumentada. O aumento dos capitais conduziram uma série de especulações na França para o que concorreu a exploração em vasta escala da mineração do ouro da Califórnia (...) [E as importações], que durante os primeiros nove meses do ano aumentaram, em 1848, para 63 milhões de francos, em 1849 chegaram a 95 milhões de francos e, em 1850, a 93 milhões". K. Marx, "Le Lotte di Classe in Francia dal 1848 a 1850", *in* K. Marx e F. Engels, *Opere* (Complete), vol. X, Editori Riuniti, Roma, 1977, p. 133. Vd. também K. Marx, *La Guerre Civile en France, 1871*, Éditions Sociales, Paris, 1968.

4. Cf. *idem, ibidem.*

5. Vd. F. Engels, "Persia y China", *in* K. Marx e F. Engels, *China: ¿Fósil viviente o trasmisor revolucionario?, op. cit.,* p. 118.

e da temperatura dos acontecimentos restritos aos limites do solo do Velho Mundo, e que o termômetro da evolução da temperatura política de todo o organismo pulsante teria agora que medir o estado de coisas em outras regiões da tessitura sociologicamente mais alargada e complexa do sistema, Marx reputa (em meados do século XIX) os efeitos de um agravamento da crise social na China e de uma possível revolução naquele aparentemente longínquo país, como diretamente mais determinante aos desdobramentos dos movimentos políticos de sublevação das camadas populares na Europa contra o regime e a ordem existentes, que propriamente qualquer outra causa política de natureza interna ao continente. Utilizando-se de uma imagem contida na idéia da "lei do contato dos extremos" – posta por Hegel em sua *Lógica* –, segundo a qual em todas as esferas da vida e da existência, do reino da natureza ao da história humana, vigoraria o axioma de que (dinamicamente) "os extremos se tocam", Marx estabelece uma paródia para evidenciar como, no contexto do capitalismo, no circuito de um modo de produção *mundial*, não há "opostos" que não se fundam, "longínquos" que não se toquem, "extremos" que não se liguem, não havendo, portanto, nessa perspectiva de entendimento, qualquer paradoxo em suas teses a respeito do "efeito chinês" sobre a situação econômica e social da Grã-Bretanha e, por tabela, desta para o restante de toda a Europa[6]. E para não ficar apenas em metáforas, com dados colhidos em documentos oficiais e relatórios do governo inglês, bem como em artigos e reportagens da revista *The Economist* (ligada aos interesses da indústria inglesa)[7], Marx demonstra como, no plano das relações econômicas, as con-

---

6. Cf. K. Marx, "La Revolución en China y en Europa", *idem*, pp. 50-51.

7. Isaiah Berlin, que escreveu uma importante biografia de Marx no início dos anos 60, observa a respeito do uso freqüente que Marx fazia da revista *The Economist* (sobretudo de suas colunas financeiras diárias), o quanto esta tinha sido fundamental como fonte de validação empírica de suas hipóteses de trabalho, ao ponto de ter fornecido (juntamente com o material estatístico colhido nos Livros Azuis governamentais) os dados mais preciosos que sustentaram e ilustraram "aquelas passagens de detalhada investigação social e histórica que constituem os melhores e mais originais

junturas do comportamento do comércio entre a Europa e a China (como, de resto, com a Índia) já interferiam decisivamente na estabilidade do quadro geral da acumulação do capital. O próprio desenvolvimento da produção industrial britânica ficara em boa parte dependente do consumo de seus manufaturados pelo extenso e vigoroso mercado chinês, cujo retraimento, a qualquer tempo e por qualquer razão de natureza política, implicava numa crise de realização do valor agregado gerado, fato este que levara o *The Economist*, com base nos acontecimentos políticos em evolução à época, a alertar: "Não devemos nos iludir por haver encontrado um mercado tão extenso para nossa exportação como a China, pois o mais provável é que nosso comércio de exportação sofra uma diminuição e a demanda de nossos produtos de Manchester e Glasgow se torne ainda mais reduzida"[8].

A questão é que os "extremos" já estavam interligados: a alta no preço do chá (importado da China) e a redução da demanda de manufaturados pelo "Celeste Império" imediatamente repercutiam na alta dos gêneros de primeira necessidade no Reino Unido, como a carne, o trigo e demais produtos agrícolas[9]. A estranha sensação do curioso espetáculo da China provocar desordens no mundo ocidental "ao mesmo instante em que os navios de guerra ingleses, franceses e norte-americanos impunham 'ordem' em Shangai, Nankín e nas desembocaduras do Grande Canal"[10], vinha à tona também sob a forma de crise monetária, a qual, uma vez instalada, açodava todo o continente europeu. Tal foi o que aconteceu quando se deu o encarecimento do preço da prata em relação ao ouro no segundo quartel do Oitocentos – não obstante a imensa produção de ouro na Califórnia e na Austrália –, fato explicado pela fuga daquele metal precioso do Ocidente para a Ásia, es-

---

capítulos de *O Capital*". *In* I. Berlin, *Karl Marx*, trad. Roberto Bixio, Alianza, Madrid, 1988, pp. 183-184.

8. Cf. K. Marx, "La Revolución en China y en Europa", *in* K. Marx e F. Engels, *China: ¿Fósil viviente o trasmisor revolucionario?, op. cit.*, pp. 55-57.

9. Vd. *idem*, p. 57.

10. *Idem*, p. 58.

pecialmente Índia e China, num contexto de balança comercial momentaneamente favorável aos países orientais (fuga de divisas) que então tinham a prata como único meio aceitável de equivalente de intercâmbio. A reação "transcontinental" da Grã-Bretanha, diretamente atingida pela crise, foi imediata: extinguiu o monopólio comercial com o Oriente exercido pela Companhia das Índias Orientais (restrita sua ação apenas China e Índia) e abriu espaço para empresas privadas explorarem a comercialização entre os dois continentes, o que ativou a exportação de produtos industrializados para o Leste, inclinando a balança comercial progressivamente para a Europa e revertendo, assim, pelo refluxo de divisas, a carência de reservas de prata em solo da matriz do império[11].

As crises colossais que se abatiam sobre as nações européias desde a entrada do século XIX, davam o testemunho vivo e empiricamente insuspeito de que o modo capitalista de produção já vinha se transformando num gigantesco sistema de engrenagens mundializadas. Uma crise financeira gerada no *comércio* com a Índia podia causar efeitos mais catastróficos à Grã-Bretanha e negócios mais "sujos" nos bastidores da política, que os acontecimentos trágicos vividos pela guerra militar indiana[12]. Uma rebelião na China interferia nas eleições inglesas[13]; uma retração do livre acesso dos interesses europeus ao magnífico mercado asiático unia tradicionais inimigos, como Inglaterra e França, em campanhas belicosas contra o "Celeste Império", em nome da ética e da civilização[14]; uma sobreprodução nos mercados da Índia e da China

11. Vd. K. Marx, "La Crisis Monetaria en Europa", *idem*, pp. 62-68.

12. Cf. Carta de Marx a Engels, de 9/4/1859, *in* K. Marx e F. Engels, *The First Indian War of Independence, 1857-1859*, segunda impressão, Foreign Languages Publishing House, Moscou, s/d, pp. 215-216.

13. Cf. K. Marx, "Las Próximas Elecciones en Inglaterra", *in* K. Marx e F. Engels, *China: ¿Fósil viviente o trasmisor revolucionario?, op. cit.*, pp. 92-96.

14. Cf. K. Marx, "La Historia del Comercio del Opio", "Libre Comercio y Monopolio", "La Nueva Guerra China I", "La Nueva Guerra China II", "La Nueva Guerra China III" e "La Nueva Guerra China IV", *idem*, pp. 121-171.

afetava o estado da Bolsa de Londres[15]. Os motins que espocavam em território asiático e que não estavam confinados a poucas localidades, expressavam, como um todo, a revolta das grandes nações orientais contra a supremacia inglesa no continente, contexto no qual uma revolta do exército angloindiano ou das tropas de Bengala estava, de alguma forma, intimamente conectada com as guerras na Pérsia e na China[16]. Tudo interferia em tudo e as causas para cada tempestade podiam provir dos quatro cantos do planeta, com o poder do sopro de um redemoinho demolidor a ameaçar os alicerces mais profundos da engenharia de toda ordem social.

Não por acaso Marx e Engels se dedicaram ao estudo, em profundidade, das rebeliões em colônias asiáticas (sobretudo na Índia e na China) que pipocaram em meados do século XIX, cujo principal registro, com toda a riqueza das análises empreendidas, pode ser encontrado na coletânea de artigos que publicaram no jornal *New York Daily Tribune*, sobretudo no período compreendido entre 1857 e 1859, época do acirramento das insurreições e da crise[17]. Eles compreendiam a influência que os impactos causados pela dissolução abrupta das relações "feudais" e patriarcais no continente asiático, com seu ingresso repentino no mundo capitalista e a conseqüente reação por parte dos nativos, haveria de ter sobre a economia dos países europeus e os movimentos políticos do operariado no coração da civilização do capital. Num circuito econômica e politicamente interligado, não havia separação entre luta de classes e guerras anti-coloniais, repercutindo cada movimento particular, mesmo aqueles aparentemente mais distantes e presumivelmente mais isolados, em todo o sistema geral de circulação do capital, da Europa aos Estados Unidos. Se as revoltas nas co-

---

15. Cf. F. Engels, carta a Marx de 7/10/1858, *in idem*, p. 142.
16. Cf. K. Marx, "The Revolt in the Indian Army", *in* K. Marx e F. Engels, *The First Indian War of Independence, 1857-1859*, *op. cit.*, pp. 41-45.
17. Uma das mais completas coleções desses escritos, publicada em língua espanhola, pode ser encontrada *in* K. Marx e F. Engels, *Sobre el Neocolonialismo*, Cuadernos de Pasado y Presente, n. 37, Córdoba, 1973.

lônias podiam amadurecer e precipitar levantes revolucionários em território europeu, revoluções na Europa podiam significar o caminho mais curto para a libertação nacional das colônias. Por isso, dizia Marx:

> os indianos não colherão os frutos dos novos elementos da sociedade espalhados entre eles pela burguesia britânica, até que, na própria Grã-Bretanha, as classes governantes tenham sido suplantadas pelo proletariado industrial, ou até que os hindus, por si próprios, tenham crescido forte o bastante para lançar fora por completo o jugo inglês[18].

Marx e Engels viam uma relação potencialmente íntima não somente entre crise econômica e crise política, mas entre cada crise em particular e o sistema global como um todo, não havendo mais para eles, nesse contexto, causas específicas que não fossem, em alguma medida, condicionadas e tensionadas pelos efeitos mais gerais de uma economia mundializada em permanente contradição. Rosa Luxemburgo, anos mais tarde, apontaria, também, para os efeitos de mão-dupla trazidos pelo imperialismo, no contexto do qual a "periferia" devolvia às "matrizes", em tempo hábil, as catástrofes de que fora, por essas, vitimada:

> O que distingue o imperialismo como a luta final pela dominação capitalista à escala mundial não é apenas a notável energia e universalidade da expansão, mas sim – e este é o sinal específico de que o círculo do desenvolvimento está a começar a fechar-se – o fato de que a luta decisiva pela expansão se desloca das áreas não capitalistas, a conquistar, para as metrópoles. Deste modo, o imperialismo devolve a catástrofe como um modo de existência da periferia do desenvolvimento capitalista, ao seu ponto de partida. A expansão do capital, que durante quatro séculos condenou as sociedades não capitalistas da Ásia, da África, da América e da Austrália a incessantes convulsões e a um declínio generalizado e completo, mergulha agora os povos civilizados da própria Europa numa série de catástrofes, cujo resultado final só pode ser o declínio da civilização ou a transição para o modo de produção socialista[19].

---

18. K. Marx, "The Future Results of the British Rule in India", *idem*, p. 38.
19. R. Luxemburgo, "A Acumulação de Capital – Uma Anticrítica", *in* R. Luxemburgo e N. Bukharine, *Imperialismo e Acumulação de Capital*, *op. cit.*, p. 185.

Engels, numa passagem de seu Prefácio à primeira edição alemã de *A Miséria da Filosofia*, de Marx, retoma a questão da relação entre crise econômica e comportamento de mercado, mostrando de forma bastante direta que é no circuito *mundial* das trocas e da concorrência que, já no século XIX, o sistema capitalista como um todo estabelecia seus ajustes, resultando que o impacto global das crises provinha do fato que o capitalismo, como modo de produção, há muito já houvera dilatado sua dinâmica de reprodução para além das fronteiras limitadas dos mercados nacionais:

> Desde que a produção das mercadorias tomou as dimensões do mercado mundial, é por um cataclismo deste mercado, por uma crise comercial, que se estabelece o equilíbrio entre os produtores isolados, que produzem segundo um cálculo particular, e o mercado para que produzem, do qual mais ou menos ignoram a procura em qualidade e quantidade[20].

Por funcionar o capitalismo como um modo de produção estruturado em escala *mundial*, a dinâmica das relações sociais e institucionais (comerciais, produtivas e políticas) deixa de se processar exclusivamente no interior de espaços societários estritos (localidades, região, nação) para alcançar, na qualidade de *mercado mundial*, contornos mais abrangentes (globais) de sociabilidade e institucionalidade, em relação ao qual níveis e instâncias mais particulares e localizadas de materialidade societária (capitais individuais, comunidades, nacionalidades) passam a ficar dependentes e subsumidos. Nesse circuito mundialmente articulado de interesses, uma vez dilatado o diâmetro real da luta concorrencial, progressivamente vão ganhando preeminência as formações institucionais que atingem esse nível de dimensionamento – fundamentalmente, o grande capital industrial (inter/multi/transnacional) –, que passam a estruturar-se em escala global, redefinindo as matrizes, as regras e as prerrogativas de atuação no contexto do novo campo de correlação de forças instaurado. Quando sobrevém, portanto, um momento de crise aguda, este se esta-

---

20. F. Engels, Prefácio à primeira edição alemã de *Miséria da Filosofia*. In K. Marx, *Miséria da Filosofia,* Estampa, Lisboa, 1978, p. 22.

belece (porque se origina) a partir da dinâmica do conjunto do sistema (mercado mundial) e não das partes tomadas isoladamente; atinge o conjunto *como um todo* e não setores isolados da economia; revela as limitações de um determinado patamar (ou modelo) de organização produtiva e divisão do trabalho e termina por ameaçar, em última instância, a própria reprodução do capital *em geral*, do modo de produção capitalista como tal (quando não, mantém a continuidade de sua reprodução sob a forma de *barbárie* ou *irracionalismo*).

Nessa escalada ampliada de contradições, torna-se secundário, da perspectiva do capital social (em geral), o destino dos capitais individuais tomados nas suas particularidades – ou de qualquer outro tipo de soberania (no limite, até a nacional) –, quando o que conta, aqui, é salvar o conjunto do sistema, criando as soluções que resguardem e garantam a sua reprodução e, se possível, um novo surto de seu crescimento.

O processo de concentração/centralização da produção, em conformidade com a dinâmica do mercado mundial, há mais de um século vem transformando os vários cantos do mundo num único sistema articulado de partes interdependentes, no âmbito do qual o grande capital passa a deter a hegemonia. As crises cíclicas nada mais são que expressão (causa e efeito) desse movimento contraditório de acumulação e expansão contínua das forças produtivas capitalistas e têm representado, sempre, momentos de reajuste da economia que têm conduzido a uma crescente e progressiva mundialização das bases materiais do capital. E isto está dado – conforme indicado – pela própria natureza contraditória do movimento de autovalorização do capital que, por depender a realização da massa do valor gerado de sua contínua absorção pelo mercado, ao estender de tempos em tempos a oferta de produtos para além dos limites possíveis da demanda conjuntural, acaba por gerar, nesses contextos, uma *superprodução* de mercadorias (com a conseqüente depreciação dos preços). E à medida que a massa de produtos aumenta, aumenta também a necessidade de mercados mais amplos, e

assim se aperta cada vez mais o mercado mundial [decorrendo, em conseqüência] cada vez menos mercados a explorar (e modificando-se paulatinamente as condições que imperaram no passado), visto que todas as crises anteriores submeteram ao comércio do mundo [como saída] um mercado até então por conquistar ou apenas superficialmente inexplorado[21].

Bukharine compreendeu corretamente o conteúdo da tese da *superprodução* de Marx[22], ao destacar a qualidade *relativa* (e não absoluta) do fenômeno da superprodução, em que o excesso de produção se dá relativamente à procura *efetiva* (possibilidade social de pagamento) e não em função das necessidades sociais absolutas. Por ser a produção do capital uma produção de mercadorias produzidas *capitalisticamente*, toda crise revela uma desproporção *temporária* entre oferta e procura, entre necessidade de expansão da produção (e sua realização) e capacidade social de consumo, coincidindo, conseqüentemente, toda superprodução de capital com uma superprodução de mercadorias[23]. Quanto a essa manifestação contraditória do modo capitalista de produção, Marx não deixa dúvidas em *O Capital*:

> O tremendo poder produtivo que é desenvolvido dentro do modo capitalista de produção, e – ainda se não no mesmo grau – o crescimento dos valores do capital (e não apenas de seu substrato material), ambos se dão, proporcionalmente, de maneira mais rápida que o aumento da população. Os dois fatos contradizem com a base em nome da qual este imenso poder produtivo opera, tornando-a sempre mais estreita em relação ao crescimento da riqueza, o que também se contrapõe às condições de valorização do capital que se expande. Daí as crises[24].

21. K. Marx, "Trabalho Assalariado e Capital", *in* K. Marx, *Sociedade e Mudanças Sociais* (Coletânea de Textos), 2ª edição, Edições 70, Lisboa, s/ d, pp. 208-209.

22. Ainda que em Marx, como bem observa Elmar Altvater, "não seja possível determinar uma teoria específica da crise" nos moldes em que passou a ser argüida a partir dos anos 20 deste século, segundo os paradigmas do *subconsumo* ou da *superacumulação*, reciprocamente excludentes. E. Altvater, "A Crise de 1929 e o Debate Marxista sobre a Teoria da Crise", *in* E. Hobsbawm, *História do Marxismo*, vol. 8, *op. cit.*, pp. 81-83.

23. Cf. N. Bukharine, "Imperialismo e Acumulação de Capital", *in* R. Luxemburgo e N. Bukharine, *Imperialismo e Acumulação de Capital, op. cit.*, pp. 271-292.

24. K. Marx, *Capital*, vol. 3, cap. 15, p. 375 [e.b., livro 3, vol. 4, cap. XV, p. 305].

Numa outra passagem particularmente emblemática, Marx dá ao fenômeno da "superprodução" o toque de *lei universal* capitalista, demonstrando como o mesmo tipo de ocorrência se faz sentir em todos os quadrantes do globo, apontando, assim, a escalada mundial das contradições inerentes ao processo de acumulação:

> Que uma expansão súbita do comércio seja seguida de sua contração violenta, ou que um novo mercado, ao abrir-se, seja supersaturado de mercadorias inglesas, sem ter em conta, no fundo, as necessidades reais ou a capacidade aquisitiva dos consumidores, não é um fato exclusivamente próprio do comércio chinês. Na realidade, é um traço permanente em toda a história dos mercados do mundo. Quando caiu Napoleão, e abriu-se o continente europeu ao comércio, as importações britânicas se encontraram em tal desproporção com a capacidade de absorção do continente, que a "transição da guerra à paz" foi mais desastrosa que o próprio sistema continental. O reconhecimento, por Canning, da independência das colônias espanholas na América motivou, assim mesmo, a crise comercial de 1825. Enviaram-se, então, ao México e à Colômbia, mercadorias calculadas para o clima de Moscou. E em nossos dias, a mesma Austrália, apesar de sua elasticidade, não tem escapado da sorte comum a todos os novos mercados, e viu-se saturada de mercadorias que não podia aborver por limitações tanto de sua capacidade de consumo como de suas possibilidades de pagamento[25].

Como conseqüência de toda essa tendência – como já foi visto –, propaga-se a queima de capitais individuais (menos competitivos) – que não sobrevivem ao período de estagnação ou de depreciação geral dos preços –, ocorre um enxugamento do mercado e, finalmente, sobrevém para todo o sistema um novo equilíbrio entre oferta e procura, só que agora com um número mais reduzido de capitais disputando o mercado[26]:

> Os lucros menores são por ele [o capitalista] compensados por uma massa maior de seu capital e, por isso, ele pode suportar perdas momentâneas até que o pequeno capitalista se arruíne, e [o grande] se veja livre dessa concorrência. Aí ele acumula aos seus próprios lucros os ganhos do pequeno capitalista[27].

25. K. Marx, "El Primer Tratado Britanico-Chino" *in China: ¿Fósil viviente o trasmisor revolucionario?, op. cit.*, pp. 131-132.
26. Vd. K. Marx, *Grundrisse, op. cit.*, pp. 377-389 e 402-407; *O Capital,* livro 3, vol. 4, *op. cit.*, capítulo XIII.
27. K. Marx, *Manuscrits de 1844 (Économie, Politique & Philosophie),*

Rudolf Hilferding, debruçando-se sobre o fenômeno da crise capitalista em sua fase monopolista, observara que esta (crise) torna-se ainda mais forte ali onde a rotação do capital dura mais tempo e as melhorias e inovações técnicas são maiores, o que sucede, geralmente, quando a composição orgânica é mais elevada[28]. Uma vez instalada, por reduzir de pronto os preços e os lucros abaixo do nível normal (preços médios de produção e lucro médio), a crise leva a uma contração da produção, à fusão de empresas, ao expurgo de capitais, sobrevivendo apenas aqueles que conseguem obter um lucro médio com preços mais baixos. Só que este lucro, agora, decorre de um outro nível de relação entre taxa de mais-valia e totalidade do capital: "já não corresponde à composição orgânica no ponto de partida do ciclo industrial, mas à nova composição orgânica do capital, mais elevada"[29]. A mesma lei que impera para os capitais na fase da livre concorrência continua a determinar o movimento do capital em geral em sua fase monopolista, de concorrência restrita; ainda que num estágio de alta concentração do capital, a grande empresa (truste, cartel) enfrente de um outro modo a crise, na medida em que sua produção é tão grande que permite ser temporariamente reduzida sem abertura necessária de falência[30]. Amplia-se, porém, nessa etapa, a *interdependência internacional dos processos econômicos.*

Por isso, nas crises, os fenômenos de um país, com todas as suas particularidades e desenvolvimento temporal, técnico e organizativo, influem também na crise de outro [...] Por outro lado, é igualmente impossível deduzir da história das crises de um só país leis gerais sobre sua variação, porque precisamente a crise capitalista é um *fenômeno de mercado mundial* (grifo meu) – e tanto mais quanto mais larga seja –, e as crises de um país podem também sofrer, como conseqüência das particularidades do desenvolvimento capitalista neste país, determinadas modificações, cuja generalização não pode senão parecer uma confusão[31].

trad. de Emile Bottigelli, Editions Sociales, Paris, 1968, Premier Manuscrit, p. 30.
   28. Cf. R. Hilferding, *El Capital Financiero, op. cit.*, p. 294.
   29. *Idem, ibidem.*
   30. Cf. *idem*, p. 323.
   31. *Idem*, p. 321.

Toda essa hermenêutica do movimento tendencial do modo de produção capitalista, a dialética de suas crises cíclicas e os efeitos progressivos da concentração/centralização, é corroborada pela própria análise da lei tendencial de queda da taxa de lucro – abordada no capítulo precedente. Aqui vale à pena, contudo, acrescentar outros detalhamentos a alguns dos argumentos já postos, a fim de demonstrar que, na perspectiva da teoria das crises, a contradição estrutural (intrínseca ao capitalismo) entre expansão da produção (acumulação) e criação da mais-valia, resulta sempre em contínuos progressos da mundialização do capital, preparando, à sua vez, "crises mais gerais e mais formidáveis (destrutivas)"[32].

Segundo Marx, o desenvolvimento da produtividade social do trabalho, imposto pela concorrência no jogo de mercado, traduz-se no aprimoramento constante das forças produtivas (seu aperfeiçoamento tecnológico), fato esse que ocorre às custas da redução proporcionalmente relativa do emprego da força viva de trabalho (número de trabalhadores) e de um grau maior de sua exploração (aumento do trabalho excedente decorrente da redução relativa do trabalho necessário à reprodução da própria força de trabalho). Esse segundo efeito, ao diminuir relativamente o montante pago ao trabalho aplicado e, assim, garantir um maior volume de sobretrabalho não pago, deveria aumentar a mais-valia, beneficiando, conseqüentemente, a taxa de lucro. O fato é que, ao mesmo tempo, a ampliação da massa de capital constante empregada reduz (relativamente) a massa global do trabalho vivo e, portanto, o fator por que se multiplica a taxa de mais-valia (sua fonte estrutural) – matando-se, em câmara lenta, como que a "galinha dos ovos de ouro". Tal movimento tendencial con-

---

32. K. Marx e F. Engels, *Le Manifeste Communiste*, op. cit., p. 66. A esse respeito, J. M. Maguire entende que, nos escritos econômicos mais maduros de Marx (dos *Grundrisse* a *O Capital*) encontra-se delineada uma teoria cíclica da crise capitalista, em que cada novo começo passa a incidir num nível mais alto de desenvolvimento, concentração e (embora pervertido) socialização das forças de produção em escala mundial. J. M. Maguire, "Marx's Theory of Politics", Cambridge University, Cambridge, 1978, cap. 6, "Politics in Mature Economic Theory", p. 138.

traria a previsão anteriormente indicada, inibindo seus efeitos e criando certos limites à formação ampliada da taxa de mais-valia. Em conseqüência – ainda que a longo prazo –, a taxa média de lucro tende a cair. Com a queda da taxa de lucro,

> aumenta o mínimo de capital que tem de estar nas mãos de cada capitalista para o emprego produtivo do trabalho; o mínimo exigido para se explorar o trabalho em geral e ainda para que o tempo de trabalho aplicado seja o necessário para a produção das mercadorias, não ultrapassando a média do tempo de trabalho socialmente necessário para produzi-las[33].

No final do túnel, todo esse processo converge para o expurgo de capitais menos competitivos e um novo ciclo de centralização. A queda da taxa de lucro, assim, a seu tempo, acirra a concorrência entre capitais e conduz, ao final, à superacumulação, à superprodução, à crise, o que implica, praticamente, não apenas no desemprego crescente de capitais (pela centralização) e da população trabalhadora (pelo aumento da composição orgânica), como na necessidade de expandir ainda mais as bases do mercado e de ampliar a taxa de exploração do trabalho, tudo em função da recuperação da taxa de lucratividade.

A mundialização do capital industrial/financeiro, a sua expansão e constituição para além das antigas fronteiras nacionais de suas matrizes, passa a ser, então, uma necessidade imposta pela busca de sua autovalorização por meio da compensação da queda da taxa média de lucro, nos limites anteriormente dados, pelo aumento dessa mesma taxa por meio de novos investimentos no estrangeiro – dadas as condições comparativamente favoráveis da taxa de exploração do trabalho nesses novos países. Só que, nesse novo contexto, "a compensação da queda da taxa de lucro pela massa crescente do lucro – dada a expansão da produção e a nova taxa de exploração da força de trabalho – só vigora para a totalidade do capital da sociedade e para os grandes capitalistas, fortemente organizados"[34]. Do que resulta que, no capitalismo, cada

---

33. K. Marx, *Capital*, livro 3, vol. 4, *op. cit.*, p. 288.
34. *Idem, ibidem.*

fase de queda da taxa geral de lucro leva a uma crise sistêmica e, o esforço de sua superação, a um novo estágio do processo de concentração/centralização. Isso conduz a uma crescente mundialização do capital (sua expansão), que, por sua vez, ativa e reforça o próprio processo de centralização, intensificando o desenvolvimento dos monopólios até sua estruturação em escala definitivamente transnacional. A partir de então, um novo ciclo de acumulação se inicia, com uma taxa maior de centralização do capital, um novo surto de desenvolvimento das forças produtivas e uma nova expansão do mercado. Um novo ciclo de concorrência (mais seletiva) reativa a necessidade de mais acumulação, expansão do capital e produção da mais-valia em escala relativamente ainda mais ampliada. Por sua vez, tal qual em estágios anteriores, o incremento da produtividade novamente se choca com as bases proporcionalmente estreitas nas quais se assentam as relações de consumo. Nova crise, depreciação do capital (descapitalização), centralização, ampliação do domínio monopolista do mercado... *and so on*, até a emergência de períodos de crise cíclica cada vez mais graves e de difícil solução.

Rosa Luxemburgo, analisando essa tendência estrutural do movimento do capital, já fazia notar, no início do século XX, que

> o interesse do capital, que exige uma produção cada vez mais rápida e maior, cria a cada passo os limites do seu [próprio] mercado que colocam um obstáculo à impetuosa tendência da produção para o alargamento, [do que] resulta que as crises industriais e comerciais são inevitáveis (...) [e] a cada passo do seu próprio desenvolvimento, a produção capitalista se aproxima irresistivelmente da época em que ela não poderá desenvolver-se senão cada vez mais lenta e dificilmente, [envolvendo esta evolução uma] contradição fundamental: quanto mais a produção capitalista substitui os modos de produção mais atrasados, tanto mais estreitos se tornam os limites do mercado criado para a procura do lucro, em relação à necessidade de expansão das empresas capitalistas existentes[35].

Mas ao contrário do que afirma a maioria das interpretações mecanicistas da teoria marxiana das crises, Marx jamais

---

35. R. Luxemburgo, *Introdução à Economia Política*, op. cit., pp. 349-351.

diagnosticou a "crise final" e o fim do capitalismo como um dado inexorável, com calendário e agenda marcada. Pois se trata, afinal, não de uma "lei natural", mas de uma *tendência* posta e inerente à própria lógica interna de funcionamento e desenvolvimento do sistema econômico burguês, passível de precipitação a qualquer momento (como, aliás, inúmeras vezes o próprio Marx acreditou já estivesse em curso), mas também sujeita a permanentes postergações e adiamentos em função de inúmeros fatores atuantes, tais como a organização dos interesses de classe, as formas múltiplas de luta, as possibilidades inusitadas das estratégias de sobrevivência das classes dominantes. Tanto que, no capítulo 14 do livro 3 de *O Capital*, depois de ter apresentado a Lei Tendencial da Queda da Taxa de Lucro, Marx reconhece a existência de *fatores contrários à Lei*, destacando as possibilidades do aumento do grau de exploração do trabalho, da redução dos salários, de baixa de preço dos elementos do capital constante, de dinamização do comércio exterior (além do aumento do capital em ações), como estratégias de que lança mão o capital em geral na busca de saídas para os impasses cíclicos à sua reprodução. Tal é o sentido embutido na advertência contida justo no primeiro parágrafo que introduz o capítulo 15:

> Se se considera o enorme desenvolvimento da produtividade do trabalho social, mesmo que seja nos últimos trinta anos, comparando este período com todos os anteriores – especialmente se consideramos a massa gigantesca de capital fixo que, além das máquinas propriamente ditas, entra em todo o processo social de produção – vemos que a dificuldade com que se têm entretido até agora os economistas – a de explicar a queda da taxa de lucro – se transmuta na dificuldade inversa, ou seja, a de explicar por que essa queda não é maior e mais rápida. Devem estar em jogo fatores adversos que estorvam e anulam o efeito da lei geral, conferindo-lhes apenas o caráter de tendência. Por isso, demos à baixa da taxa geral de lucro a qualificação de *tendência* (grifo meu) à baixa.

Se se tiver presente toda a história do capitalismo a partir do advento de sua fase imperialista (não testemunhada por Marx), ver-se-á que todos esses fatores apontados estão por detrás do movimento do capital e se apresentam dimensionados, cada vez mais, em *escala mundial*. Ou seja, para as tendências de crise *mundial*, saídas de alcance *mundial*.

O que representou fundamentalmente o aumento da taxa de exploração do trabalho neste último século, senão a submissão maciça de populações da periferia de todo o globo aos padrões da produção industrial mediante níveis salariais escandalosamente inferiores aos vigentes nos países centrais? E as revoluções científicas e tecnológicas, senão fundamentalmente estratégias para reduzir o preço dos meios do capital constante? E a histórica intervenção do Estado na economia após a crise de 1929 (fórmula keynesiana) senão um poderoso mecanismo de subvencionar, direta ou indiretamente, o capital privado (em especial o capital monopolista), arcando cada vez mais com os custos sociais do capital (como da mesma forma foi o papel cumprido pela inflação mundial)? E o crescimento historicamente incomparável do comércio mundial pós-segunda Grande Guerra, não reflete as novas exigências de oxigênio para o capital transnacional superacumulado e suas necessidades gigantescas de realização? Como argüi Manuel Castells,

a internacionalização capitalista desempenhou extraordinário papel no aumento da taxa de lucro dos monopólios, sendo as causas as seguintes: a) beneficiam-se da vantagem comparativa, política e econômica, de cada uma de suas localizações em todas as atividades do processo de produção e distribuição; b) produz-se uma considerável aceleração da velocidade de circulação do capital investido em tais circunstâncias; c) recebem ajuda de cada um dos Estados, em vez de limitar-se a receber ajuda do Estado de origem de cada sistema monopolista; d) produz-se uma grande ampliação dos mercados de bens e de capital; e) permite superar qualquer tipo de fronteira econômica nacional, isto é, permite superar os controles fiscais e financeiros através de simples transferências contábeis no interior das corporações transnacionais[36].

O fôlego do sistema capitalista já havia sido claramente percebido por Marx e explicitamente relacionado à sua capacidade ascendente de mundialização, de alargamento das bases materiais de seu domínio, que transformava, dia após dia, cada região da Terra – incluída a própria Europa – num simples "canto" (*little corner*) do imenso tabuleiro planetário, ameaçando, por conseguinte, sufocar todo e qualquer movimento revolucionário circunscrito aos terrenos limitados das

36. M. Castells, *A Teoria Marxista das Crises Econômicas e as Transformações do Capitalismo*, op. cit., pp. 116-117.

nacionalidades subsumidas aos imperativos mais abrangentes do mercado mundial.

A tarefa específica da sociedade burguesa – escrevia Marx a Engels, em 1858 – é o estabelecimento do mercado mundial, ao menos em linhas gerais, e da produção baseada sobre este mercado mundial. Como o mundo é redondo, isto parece ter sido completado pela colonização da Califórnia e da Austrália e a abertura da China e do Japão. A questão difícil para nós [isto é, para a revolução socialista] é esta: sobre o Continente [europeu] a revolução [como tendência] é iminente e imediatamente assumirá um caráter socialista. Não estará [contudo] destinada a ser massacrada neste pequeno canto [do mundo], considerando-se que num território muito mais vasto o movimento da sociedade burguesa *ainda está em plena ascensão?* (grifo meu)[37].

Ou seja: não apenas uma crise econômica (por mais grave que se estampe) não está, *a priori,* destinada a deflagrar a *débâcle* definitiva do sistema, como até mesmo uma revolução que desta emerja, e que não assuma um caráter efetivamente mundial, passa a ficar destinada ao fracasso (dada a capacidade de reação *mundial* do capital). Nesse sentido é que Marx e Engels se colocavam contrários à tese da possibilidade de vitória do socialismo num só país, ao ponto de Engels chegar a escrever, sob forma de "catecismo", as seguintes linhas do primeiro esboço do programa da União dos Comunistas, intitulado *Princípios do Comunismo:*

Poderá esta revolução [comunista] acontecer num único país? Não. A grande indústria, criando o mercado mundial, já ligou todos os povos da Terra, especialmente os civilizados, a tal ponto que cada povo depende do que ocorre com o outro. Além disto, ela nivelou o desenvolvimento social em todos os países civilizados, de sorte que, em todos estes países, burguesia e proletariado tornaram-se as duas classes decisivas da sociedade, e a luta entre estas duas classes tornou-se a luta principal de nossos dias. Assim, a revolução comunista não será uma revolução somente nacional, será uma revolução que ocorrerá *simultaneamente em todos os países civilizados, ou seja, pelo menos* na Inglaterra, Estados Unidos, França e Alemanha[38].

---

37. Carta de Marx a Engels (Londres, 8/10/1858), *in* K. Marx e F. Engels, *Selected Correspondence, op. cit.*, p. 111.
38. K. Marx e F. Engels, *Opere,* vol. 6, p. 372, apud Roi A. Medvedev, "O Socialismo num só País", *in* E. Hobsbawm (Org.), *História do Socialismo,* vol. 7, *op. cit.*, p. 46.

E ainda que a experiência de muitos fenômenos revolucionários na Europa Ocidental, na metade do século XIX, tenham provocado um desenvolvimento posterior em suas concepções econômicas, políticas e filosóficas, refinando seu entendimento da dialética do capitalismo e que se reflete, por exemplo, na ausência de novas afirmações tão categóricas quanto esta da tese da "simultaneidade", ainda assim Marx e Engels jamais abandonaram a convicção de que uma revolução socialista, ainda que pudesse ser inaugurada num único país individualizado, para obter sucesso dependeria de sua capacidade de incendiar em seguida outros países até a falência do sistema global como um todo[39]. E se esta observação de Marx e Engels era dirigida para as situações configuradas em países avançados – como fora o caso de suas análises a respeito das revoluções de 1848 na Europa –, quanto mais ainda não deveria ser ela levada em conta quando considerados os países atrasados, e, particularmente hoje, exercitada, refletida e reconsiderada (para além das armadilhas ideológicas) no esforço de todo e qualquer balanço crítico (de pretensões científicas) das razões reais (que certamente têm causas mais amplas que aquelas meramente "endógenas") da derrocada da União Soviética!?

É nessa linha que Ernest Mandel (ressoando Marx e Engels) admite que a revolução socialista, concebida como processo mundial, pode até *começar* em países subdesenvolvidos, mas que esta – precisamente porque a infra-estrutura de tal sociedade não pode ser senão o produto da grande indústria moderna (levada a seu desenvolvimento mais elevado) – "não pode *completar-se*, isto é, adquirir seu pleno desenvolvimento, senão quando englobar os países industrialmente mais avançados[40]. O que reverbera uma outra afirmação de Marx de 1845: "O comunismo só é empiricamente possível como ação "rápida" e simultânea dos povos dominantes, o que pressupõe o desenvolvimento universal da força produti-

---

39. *Idem*, p. 47.
40. E. Mandel, *A Formação do Pensamento Econômico de Karl Marx*, *op. cit.*, p. 26.

va e as trocas mundiais que lhe estejam estreitamente ligadas[41] – isto é, a *globalização do capitalismo*!

Autores marxistas como Samir Amin, Giovanni Arrighi, André Gunder Frank e Immanuel Wallerstein, que nos anos 70 e 80 deste século (cem anos depois de Marx) trabalharam a noção de *"crise"* concebendo-a no contexto do que entendem ora por *crise do neo-imperialismo*, ora por *crise da economia-mundo capitalista*, concordam (em linhas gerais) que, de fato, no âmbito do capitalismo, desde o início e sobretudo a partir do século XIX, esses "curto-circuitos" se impactam cada vez mais em dimensões necessariamente universais (globais), e isso porque: a) o capitalismo é uma "economia-mundo" cujas leis internas de acumulação do capital, desde o século XVI, sempre incidiram na dinâmica do sistema como um todo em plano mundial (mudando apenas as formas aparentes de manifestação desse movimento ao longo do processo); b) essa economia-mundo sempre esteve fundada (constituiu-se) num sistema de troca desigual, provocando a transferência do excedente das áreas periféricas aos países centrais; c) durante o transcurso da história dessa economia-mundo capitalista, a organização dos grupos oprimidos tem aumentado dentro do sistema-mundo, desencadeando forte oposição (sob formas e intensidade diferenciadas) à sua permanência; d) sempre houve a dominação de um Estado-nação ou grupo de Estados-nação sobre o conjunto sistêmico, provocando reações anti-imperialistas por todos os lados. Disso segue que a "crise" do capitalismo é um fenômeno mundial e integral (sistêmico), e assim deve ser analisada[42].

Os países subdesenvolvidos – argüía Samir Amin, em 1974 – formam uma parte integral do mercado mundial. Existe, portanto, um único ciclo real, que é o ciclo deste mercado, no qual os países subdesenvolvidos jogam um papel ativo, mas que, ao mesmo tempo, é diferente daquele jogado pelas economias capitalistas do centro desenvolvido[43].

---

41. K. Marx e F. Engels, *A Ideologia Alemã*, vol. 1, *op. cit.*, p. 42.
42. Vd. S. Amin *et alii*, *Dinámica de la Crisis Global*, trad. de Rosa C. Cendrero, Siglo Veintiuno, México, 1983, pp. 11-13.
43. S. Amin, *Accumulation on a World Scale*, vol. 2, *op. cit.*, p. 513.

E mesmo o antigo bloco do Leste, originário das revoluções soviética e chinesa – além de tantas outras que eclodiram a partir da crise desencadeada desde a Primeira Guerra Mundial –, jamais representou algo *externo* aos acontecimentos do resto do mundo nem tampouco esteve em contra-posição a ele. Daí porque as contradições do sistema soviético, sua tendencial falência (como, depois, 1989 demonstrou), eram por esses autores percebidas corretamente (à época) como decorrentes de sua interligação e dependência estrutural ao mercado mundial *capitalista*, em relação ao qual nunca esteve efetivamente desvinculado[44].

Os efeitos economicamente expansivos e politicamente aprofundados da crise econômica do capitalismo ocidental sobre as economias socialistas do Leste – dizia Gunder Frank –, não somente fazem cair por terra a falsa pretensão de que existem dois mercados mundiais e dois sistemas políticos separados, segundo o propôs Stalin e todavia o aceita alguma gente do Leste e do Oeste. Não só existe um único mercado mundial capitalista, como as repercussões da crise econômica do Ocidente, no Leste, sugerem que a mesma lei do valor de mercado que sustenta a economia do Oeste também se estende por dentro do socialismo do Leste e ali funciona, não obstante seu parcial enquadramento na chamada planificação socialista[45].

Mas as crises cíclicas (ou estruturais) do capitalismo, além dos delineamentos até aqui referidos, apresentam ainda um outro aspecto fundamental de sua materialidade. Um aspecto, por sinal, também universal e extremamente atual. É que as mesmas circunstâncias

que elevam a produtividade do trabalho, aumentam a massa dos produtos-mercadorias, ampliam os mercados, aceleram a acumulação do capital, em

---

44. István Mészáros vai mais longe e atribui a ruína da mais ousada tentativa histórica de implantação do socialismo à incapacidade de Stalin e sucessores em conduzir a economia soviética à superação do padrão capitalista de produção *em si* (o capital como tipo de relação de produção e de exploração do trabalho), ali mantido e reproduzido não por mecanismos econômicos normais de mercado, mas por interferência direta do poder político centralizado (o Estado totalitário). *In* I. Mészáros, *Beyond Capital, op. cit.*
45. A. Gunder Frank, "Crisis de Ideologia e Ideologia de la Crisis", *in Dinámica de la Crisis Global, op. cit.*, p. 158. Essa postura analítica ampara (e reforça), assim, a tese de Mészáros, acima referida.

volume e em valor, e reduzem a taxa de lucro, são as mesmas que geram uma superpopulação relativa [...] de trabalhadores que não é empregada pelo capital excedente, por ser baixo o grau que possibilita de exploração do trabalho, ou, ao menos, por ser baixa a taxa de lucro que se obteria com esse grau de exploração[46].

Isto é: ao aumentar e acelerar o ritmo da acumulação (na busca de maior produtividade e competitividade), a centralização amplia e acelera, concomitantemente, as modificações na composição do capital, "as quais aumentam sua parte constante às custas de sua parte variável, reduzindo, assim, a procura (pelo capital)"[47]. A produção progressiva de uma superpopulação relativa excedente de trabalhadores (exército industrial de reserva), provocada pelo incremento da composição orgânica do capital, é a outra face da lei geral da acumulação capitalista.

Para Marx, a produção progressiva de uma superpopulação relativa ou de um exército industrial de reserva não se configura, apenas, num *efeito* do processo de concentração/centralização do capital – na medida em que cada novo capital (tecnologia) adicional incorporado no curso da acumulação atrai, relativamente à sua grandeza crescente, cada vez menos trabalhadores. Ela, ao mesmo tempo, é fator (*causa*) estruturalmente básico de garantia de taxas de mais-valia (de exploração do trabalho) favoráveis ao capital – uma vez que a população excedente (desempregada) exerce, permanentemente, forte concorrência sobre a ativa, obrigando-a a sujeitar-se às exigências dos donos dos meios de produção[48]: "A grande beleza da produção capitalista reside nisto: que ela não só reproduz constantemente o assalariado enquanto assalariado,

---

46. R. Luxemburgo, *Introdução à Economia Política, op. cit.*, p. 294.
47. K. Marx, *Capital*, vol. 1, cap. 25, p. 780 [e.b., livro 1, vol. 2, cap. XXIII, p. 729).
48. Diz Marx: "A produção capitalista não pode de jeito nenhum se alegrar com a quantidade disponível de força de trabalho fornecida pelo aumento natural da população. Para sua irrestrita atividade, ela precisa de um exército industrial de reserva que seja destes limites naturais." *In* K. Marx, *Capital*, vol. 1, cap. 25, p. 788 [e.b., livro 1, vol. 2, cap. XXIII, p. 737].

mas também uma superpopulação relativa de assalariados em proporção à acumulação do capital"[49].

Este fenômeno – que em nenhum momento é pensado por Marx como qualquer ocorrência histórica particular e, sim, como lei geral que se reproduz por todo o sistema na sua globalidade (mundialidade) – por vezes parece ser contraditado por um aparente crescimento no volume de empregos registrado em estatísticas oficiais. E, de fato, em determinados períodos, pode suceder que varie positivamente a quantidade absoluta de trabalhadores atraídos pelo sistema produtivo, dado o momento favorável de sua expansão –, o que se traduz no desafio permanente do capital, já que o aumento absoluto da massa de mais-valia é uma *necessidade* face à tendência permanente da queda da taxa de lucro. Não obstante, mesmo nessas fases de crescimento da economia, o acréscimo absoluto de empregos se dá em proporções cada vez menores relativamente à nova massa de capital constante incorporada, revelando-se em toda a sua crueza essa verdade quando se instalam novos períodos de crise e estagnação.

Observando o capital social global – diz Marx –, podemos dizer que ora o movimento de sua acumulação provoca mudanças periódicas, ora causa mudanças simultâneas e diferentes nos diversos ramos da produção. Em alguns ramos ocorre uma mudança na composição do capital sem qualquer aumento na sua magnitude absoluta, como conseqüência da simples concentração; em outros, o crescimento absoluto do capital é conectado com uma redução absoluta de sua parte variável, ou em outras palavras, da força de trabalho por ele absorvida; em outros novamente, ora o capital continua a crescer por um certo tempo em dada base técnica existente e atrai força de trabalho adicional em proporção a este crescimento, ora sobrevém uma mudança orgânica, contraindo-se sua parte variável. Em todos os ramos, o aumento da parcela variável do capital, e portanto do número de trabalhadores empregados, está sempre associado com as flutuações violentas e com a produção transitória de uma superpopulação, quer isto tome a forma de repulsão dos trabalhadores já empregados, ou, o que é menos evidente, porém não menos real, assuma a forma de uma dificuldade ainda maior de absorção da população trabalhadora adicional através dos canais costumeiros [...] Por isso, a população trabalhadora produz tanto a acumulação do capital quanto os meios que fazem dela, relativamente, uma população supérflua[50].

49. *Idem*, cap. 33, p. 935 [e.b., cap. XXV, p. 888].
50. *Idem*, cap. 25, pp. 782-783 [e.b., cap. XXIII, pp. 731-732].

O capitalismo é movimento, é transformação constante das bases materiais da produção, acumulação frenética, centralização crescente. A cada nova mudança no patamar do padrão tecnológico do sistema produtivo, acelera-se em proporção geometricamente inversa a redução da parte variável em relação à massa global do capital empregado[51]. Novos inventos e descobertas científicas são incorporados à indústria, capacitando o capital a movimentar quantidades sempre mais gigantescas de matérias-primas e maquinaria (trabalho morto) sem o auxílio proporcionalmente correspondente de trabalho vivo. E o capital acumulado, centralizado e mundializado (o grande capital), tendo que continuar a crescer para poder renovar-se, tendo que conquistar e impor-se a todo o mercado mundial para continuar a respirar, acaba paulatinamente por universalizar, em todos os cantos do globo, tanto os padrões tecnológicos mais avançados de produção (mudando a cara do planeta) quanto os efeitos "de ponta" (também "padronizados") desse salto: a redução relativa dos níveis de emprego que necessariamente daí decorre. A partir de um determinado estágio de concentração do capital, até o aumento absoluto de empregos se torna inviável. "Não apenas são despedidos os trabalhadores diretamente expulsos pela máquina, mas também seus futuros sucessores da geração em crescimento, tanto quanto o contingente adicional que seria regularmente absorvido com a expansão ordinária dos negócios em sua base antiga[52]". O excesso de capital (dialeticamente)

---

51. Já em 1847, Marx registrara os seguintes dados sobre a Grã-Bretanha: "Em 1770, a população do Reino Unido da Grã-Bretanha era de 15 milhões e a população produtiva de 3 milhões. O poder científico da produção igualava, aproximadamente, uma população de 12 milhões a mais de indivíduos; havia, portanto, em suma, 15 milhões de forças produtivas. Assim, o poder produtivo estava para a população como 1 está para 1, e o poder científico estava para o poder manual como 4 está para 1. Em 1840, a população não ultrapassava 30 milhões: a população produtiva era de 6 milhões, enquanto que o poder científico subia a 650 milhões, ou seja, estava para a população inteira como 21 está para 1, e para o poder manual como 108 está para 1." In K. Marx, *Miséria da Filosofia, op. cit.*, p. 110.
52. K. Marx, *Capital*, vol. 1, cap. 25, p. 792 [e.b., livro 1, vol. 2, cap. XXIII, p. 742].

se revela como "excesso de população". E como o modo de produção se organiza e se dinamiza em dimensões mundiais, o fenômeno do desemprego se torna, também, um fenômeno tendencialmente *global*:

> Vemos, assim, como se subvertem e se revolucionam, incessantemente, o modo de produção e os meios de produção, como a divisão do trabalho arrasta necessariamente uma maior divisão do trabalho, o emprego de maquinaria maior emprego de maquinaria [...] Se agora nos representamos esta agitação febril projetada ao mesmo tempo sobre *todo o mercado mundial,* poderemos formar uma idéia de como o crescimento, a acumulação e a concentração do capital trazem consigo uma divisão do trabalho, uma aplicação de novas máquinas e um aperfeiçoamento das antigas em uma velocidade atropelada e ininterrupta, numa escala cada vez mais gigantesca [...] Os generais, os capitalistas, rivalizam entre si para ver quem despede o maior número de soldados industriais [...] quanto mais aumenta o capital produtivo, tanto mais se estende a divisão do trabalho e a aplicação da maquinaria. E quanto mais se estende a divisão do trabalho e a aplicação da maquinaria, mais se acentua a concorrência entre os trabalhadores e mais se reduz seu salário[53].

Em Marx está já contida, desde meados do século XIX – e justamente porque concebia o capitalismo como um modo de produção mundial –, a inteligibilidade para o fenômeno que, nesta última década do século XX (mais de cem anos depois), passou a ser denominado, genericamente, de *"desemprego estrutural"*; fenômeno de incidência *global* e que nada mais é que a tradução empiricamente visível e historicamente palpável de suas observações críticas (científicas) sobre as tendências de desenvolvimento postas (*devir*) para o sistema capitalista como um todo.

O desemprego estrutural se apresenta no cenário do mundo como os primeiros vestígios (a ante-sala) daquilo que Marx preconizara como de etapa da *superacumulação de capital*, ou seja, o momento a partir do qual o capital adicional investido, para os objetivos da produção capitalista (apropriação de trabalho excedente, mais-valia, lucro), viesse a tornar-se equivalente a zero. Quando o capital, em relação à classe trabalhadora, "tivesse crescido em proporção tal que não se pudesse ampliar nem o tempo absoluto de trabalho que essa po-

---

53. K. Marx, *Trabajo Asalariado y Capital, op. cit.*, pp. 48-52.

pulação fornece, nem o seu tempo relativo de trabalho excedente (e o último caso não seria possível em uma situação onde a procura por trabalho fosse muito intensa, e existisse, portanto, uma tendência para a elevação dos salários)", quando o capital, "depois de acrescido, continuasse a produzir apenas a mesma massa de mais-valia que antes, ocorreria [então] uma superprodução absoluta de capital, isto é, o capital acrescido C +ΔC não produziria mais qualquer lucro ou até menos lucro que o capital C antes de ser aumentado de ΔC"[54] – coincidindo então, em tal situação, queda da taxa de lucro com decréscimo absoluto da massa de lucro. Esse tipo de crise estrutural assumiria o caráter de uma crise de natureza global sem precedentes, atingindo não apenas alguns setores importantes, mas *todos os domínios da produção*, o sistema capitalista como um todo, em toda a sua plenitude[55].

A atualidade dessa tese de Marx, presente também seja nos clássicos do marxismo como na tradição do chamado marxismo ocidental, encontra significativa ressonância em elaborações mais recentes do pensamento sociológico contemporâneo que têm se dedicado a analisar a conjuntura de crise do sistema capitalista mundial em sua etapa avançada de globalização, tais como as contribuições de Ernest Mandel, István Mészáros, Robert Kurz, David Harvey e tantos outros, e que, não obstante suas diferenças recíprocas e enfoques distintos, são ratificadoras das previsões marxianas e complementares, entre si, no que tange à teoria das crises e seus postos efeitos catastróficos. Tome-se os três últimos autores citados a título de ilustração.

István Mészáros parte da premissa de que o sistema capitalista de produção e consumo só é capaz de reproduzir-se de forma ampliada – adiando, assim, as contradições catastróficas de seus limites estruturais como formação social-histórica – uma vez ocorra, pelo menos, uma das seguintes condições:

1) o círculo de consumo referido possa se expandir com sucesso, de modo que uma ampla e crescente força de traba-

---

54. K. Marx, *Capital*, vol. 3, cap. 15, p. 360 [e.b., livro 3, vol. 4, cap. XV, p. 289].
55. Cf. *idem, ibidem.*

lho possa conviver com os imperativos da produtividade ampliada, absorvendo os produtos disponíveis sem dificuldade; 2) ou uma força de trabalho relativamente limitada ou estacionária – isto é, em termos práticos, a dos países capitalistas avançados – possa proporcionar uma demanda suficientemente dinâmica para equilibrar a necessidade de expansão do capital gerada pelo sistema, ampliando o âmbito e acelerando o índice de seu consumo.[56]

Considerando que não se tratam de determinações filosóficas apriorísticas, mas de possibilidades históricas reais, Mészáros entende que, uma vez vencida uma fase de expansão mundial e estruturadas as relações orgânicas entre centros "metropolitanos" do capital e o resto do mundo (via subordinação deste aos interesses dos países capitalistas dominantes), "a possibilidade de ampliar o círculo de consumo, bem como o de incluir nele a população mundial como um todo, sofre um pesado impedimento"[57]. A saída então, nesse novo contexto, dada a tendência de expansão desproporcional entre novas faixas de consumidores e superprodução, é a da implementação, pelo capital, do que o autor chama de "produção destrutiva", ou seja, na impossibilidade de reproduzir-se o capital pela primeira via, "torna-se necessário divisar meios que possam reduzir a taxa pela qual qualquer tipo particular de mercadoria é usado, encurtando deliberadamente sua vida útil, a fim de tornar possível o lançamento de um contínuo suprimento de mercadorias superproduzidas no redemoinho da circulação acelerada"[58]. Nasce, então, a "sociedade descartável", que passa a lançar mão, sob inspiração de uma ética barbárica, da "desconcertante prática 'produtiva' de sucatear maquinário totalmente novo após um uso muito reduzido, ou mesmo sem inaugurá-lo, como que para o substituir por algo 'mais avançado', ou para deixar seu lugar vago sob as condições de 'pressão descendente' na economia"[59].

---

56. István Mészarós, *Produção Destrutiva e Estado Capitalista*, trad. de Georg Toscheff, Ensaio, São Paulo, 1989, p. 40.
57. *Idem*, pp. 40-41.
58. *Idem*, p. 43.
59. *Idem*, p. 46. Uma discussão mais pormenorizada e aprofundada desse fenômeno está condensada em seu trabalho de maior fôlego, *Beyond*

Estabelecendo um paralelo com tais formulações, pode-se aduzir que enquanto o fordismo pode ser pensado como a fase de expansão (mundial) da produção em larga escala e do correspondente alargamento do mercado, uma vez advindos os novos impasses gerados pelo esgotamento desse ciclo (regime) de acumulação, com a restrição das fronteiras horizontais do mercado de consumo, restaria ao capital explorar verticalmente as potencialidades do mercado consolidado (países de capitalismo avançado e demais nichos no restante do mundo), adaptando as estruturas produtivas a padrões mais "flexíveis" de consumo, em que a variedade e a crescente personalização dos produtos viria associada à sua condição de utilidade "descartável", permitindo assim manter (e ampliar) o ciclo de reprodução do capital. Uma produção, portanto, adaptada à nova dinâmica e lógica de um mercado tendencialmente inelástico em termos horizontais, mas altamente dinâmico e promissor quando direcionado aos (relativamente restritos) estratos sociais capazes de consumir em graus cada vez mais diferenciados. Nesse contexto, novas metamorfoses do capital passam a ser ensaiadas, pois

enquanto a taxa de uso decrescente pode intensificar lucrativamente, e não somente multiplicar, o número de transações no círculo dado, não há razão nenhuma para ocorrer o risco de "ampliar a periferia da circulação". Conseqüentemente, vastos segmentos população podem ser ignorados sem risco algum pelo desenvolvimento capitalista, mesmo nos países "avançados", para não mencionar o resto do mundo mantido em subdesenvolvimento forçado[60].

Pauperização absoluta, miséria, manutenção e aprofundamento das desigualdades sociais entre regiões desenvolvidas e subdesenvolvidas, desemprego em massa reproduzem-se, então, em escala transversalmente global, como um "câncer crônico [...] devastando o corpo social até nos países capita-

---

Capital (*op. cit.*), particularmente nos capítulos 15 ("The Decreasing Rate of Utilization under Capitalism") e 16 ("The Decreasing Rate of Utilization and the Capitalist State"), ambos constantes da parte III desse longo tratado.
60. *Idem*, p. 70. Aliás, Marx já observara que "*à notre époque, le superflu est plus facile à produire que le nécessaie*". Cf. K. Marx, *Misère de la Philosophie, op. cit.*, p. 36.

137

listicamente mais avançados, fazendo um escárnio da cláusula de convicção emergida pós-Segunda Guerra Mundial do consenso liberal/conservador/trabalhista que proclamava – e sustentava a realização do – 'pleno emprego em uma sociedade livre'"[61]. Dessa feita, para Mészáros, mais ainda que no passado, e na razão direta da superação da antiga mitologia da "ordem sob controle" bem como da capitulação do velho "inimigo externo" (com o final da Guerra Fria), o mundo do capital ter-se-ia tornado um lugar ainda mais instável e perigoso, só que agora nu diante de si mesmo, transformadas então e definitivamente as apologeticamente apregoadas contradições "externas" em contradições, agora, inquestionavelmente "intrínsecas" a um único sistema global:

> Cinqüenta anos de "modernização" levaram o "Terceiro Mundo" a uma condição pior que outrora; o sistema Soviético experimentou o mais dramático colapso, sem qualquer perspectiva de estabilização interna pela ligação ao clube do "capitalismo avançado"; [...] e os poucos privilegiados países de "capitalismo avançado" estão se encaminhando para recessões com intervalos cada vez mais curtos[62].

O pensamento de Robert Kurz aparece como complemento desse raciocínio, ainda que acentuando outros aspectos do processo em andamento e tendo por base uma análise das conseqüências das novas formas de automatização e a autonomização do processo de trabalho em escala mundial. Esse sociólogo alemão tenta demonstrar como, nesse estágio de produtividade do trabalho, novas e inusitadas condições de rentabilidade são alcançadas, permitindo estabelecer, pela primeira vez na história, "o limite lógico inerente ao movimento de exploração abstrata de força de trabalho"[63], traduzido no fenômeno (que se tornou um problema permanente da sociedade mundial) do desemprego estrutural em massa. A tese de Kurz é que "a acumulação primitiva não chegou a terminar sua obra. Ficou parada na metade do caminho, isto é, depois

---

61. I. Mészáros, *Beyond Capital, op. cit.*, prefácio, p. XXII.
62. *Idem*, Prefácio, pp. XXIV.
63. Robert Kurz, *O Colapso da Modernização*, 2ª edição, trad. de Karen Elsabe Barbosa, Paz e Terra, Rio de Janeiro, 1993, p. 191.

de desarraigar as massas, deixou de integrá-las na moderna máquina de exploração, em empresas. Desde o princípio, a industrialização foi apenas seletiva, limitando-se a algumas fábricas isoladas que produzem para o mercado mundial [...] A maior parte da sociedade foi apenas modernizada em sentido negativo, isto é, foram destruídas as estruturas tradicionais sem que alguma coisa nova ocupasse seu lugar [...] O que hoje faz sofrer as massas do Terceiro Mundo não é a provada exploração capitalista de seu trabalho produtivo, conforme continua acreditando, de acordo com a tradição, a esquerda, mas sim, ao contrário, a ausência dessa exploração"[64].

Sob esta mesma lógica deve ser pensada a *débâcle* soviética, como "socialismo de caserna" (e não socialismo "real") que, tal qual o chamado Terceiro Mundo, acabou por conhecer, na prática, os efeitos sombrios da "lógica" da sociedade produtora de mercadorias (agora definitivamente mundializada). Para Kurz, o "fim do socialismo" não representa a derrota de um sistema econômico-político-ideológico "perdedor", uma vez que tal "socialismo" não teria passado de uma estratégia soviética de modernização, num contexto de uma sociedade proto-burguesa atrasada, e que se deu via instrumentalização de um Estado burocrático-totalitário altamente centralizado, disfarçado de "príncipe moderno" do proletariado. No caso, tratar-se-ia não mais que uma versão "oriental" do fenômeno estatista tão assíduo e entranhado no movimento histórico e na lógica despotista da modernidade universal, estampados desde a violência dos métodos de acumulação primitiva do capital na era mercantilista até o armamentismo atômico das superpotências durante a Guerra Fria. Esse fato desnuda – ao contrário do que possa parecer – a existência de afinidades e fundamentos comuns mais profundos entre os dois sistemas – ambos dominados pela mercadoria – introduzindo o "mundo unificado" numa crise global que, além do mais, passa a ameaçar como nunca o pretenso "vencedor", agora nu diante de seu próprio espelho. Em conseqüência, a visão catastrófica kurziana para a sociedade burguesa mundial neste final

---

64. *Idem*, p. 194.

de século é aquela do advento de uma "era das trevas, do caos e da decadência das estruturas sociais, tal como jamais existiu na história do mundo"[65]. A exclusão das massas, o desemprego estrutural (concebido em sua dimensão tendencialmente mundial), parecem, assim, compor a tela de fundo sobre a qual o capital ensaia, em novas composições de cores, os desenhos possíveis de sua reelaboração "estética".

David Harvey, na mesma linha conclusiva de raciocínio, reconhece que

> o trabalho organizado foi solapado pela reconstrução de focos de acumulação flexível em regiões que careciam de tradições industriais anteriores e pela reimportação, para os centros mais antigos, das normas e práticas regressivas estabelecidas nessas novas áreas. A acumulação flexível parece implicar níveis relativamente altos de desemprego "estrutural" (em oposição a "friccional"), rápida destruição e reconstrução de habilidades, ganhos modestos (quando há) de salários reais e retrocesso do poder sindical – uma das colunas políticas do regime fordista. O mercado de trabalho, por exemplo, passou por uma radical reestruturação. Diante da forte volatilidade do mercado, do aumento da competição e do estreitamento das margens de lucro, os patrões tiraram proveito do enfraquecimento do poder sindical e da grande quantidade de mão-de-obra excedente (desempregados ou subempregados) para impor regimes de trabalho mais flexíveis[66].

Rosa Luxemburgo, refletindo sobre a questão durante seu período de prisão em Wronk, entre 1916-1917, já dava uma conotação definitivamente universal ao fenômeno do desemprego sob o capitalismo, elucidando que a formação de uma camada permanente e crescente de desempregados era desconhecida de todas as formas anteriores de sociedade, desde o chamado comunismo primitivo à Idade Média feudal (passando por todas as demais formas antigas de escravidão, tanto no Oriente quanto no Ocidente). É na própria dinâmica estrutural da lógica da acumulação do capital que se situam as causas sociológicas da proliferação, por todo o planeta, de uma camada crescente de "lázaros".

---

65. *Idem*, p. 222.
66. D. Harvey, *Condição Pós-Moderna*, trad. de Adail U. Sobral e Maria Stela Gonçalves, Loyola, São Paulo, 1993, pp. 140-143.

A economia capitalista é, na história da humanidade, a primeira forma de economia em que a ausência de ocupação e de meios para uma camada importante e crescente da população e a pobreza de uma outra camada, igualmente crescente, não são apenas a conseqüência, mas também uma necessidade, uma condição de existência da economia, [onde] a insegurança da existência de toda a massa de trabalhadores e a miséria crônica ou a pobreza de largas camadas determinadas foram, pela primeira vez, um fenômeno normal da sociedade[67].

A lógica da acumulação capitalista é o fundamento histórico-sociológico de toda crise social de desemprego. Desde o século XIX, essa tendência (que também é efeito da ação supranacional dos capitais) já se tornava patente, como por exemplo ilustra a inanição, a miséria e a assombrosa mortalidade de tecelões indianos advindas com a invasão de confecções inglesas produzidas pelo tear a vapor[68]; ou a emigração, o deterioramento físico e a queda dos salários dos trabalhadores camponeses irlandeses face à ação imperialista da indústria inglesa, em que "a miséria da população rural [já constituía] o pedestal de gigantescas fábricas de camisas" em solo britânico[69]. Marx já notara que "a medida que diminui o número dos magnatas capitalistas que usurpam e monopolizam todas as vantagens deste processo de transformação (a centralização do capital em escala mundial), crescem a massa de miséria, opressão, escravidão, degradação e exploração"[70]. A superpopulação relativa é o resultado inevitável do aumento da concentração do capital que, a partir de certos limites – consolidados, sobretudo, o mercado e a produção mundiais –, acumula mais rapidamente (aufere maior massa de lucro) com capital grande com pequena taxa de lucro, que, com pequeno, com taxa elevada[71]. Não importa qual forma assuma: a de desempregados temporários ou emigrantes ("população flutuante"), de "sem-terras" ou subempregados ("população la-

---

67. R. Luxemburgo, *Introdução à Economia Política*, op. cit., p. 324.
68. Vd. K. Marx, *Misère de la Philosophie*, op. cit., p. 151.
69. K. Marx e F. Engels, *Imperio y Colonia: Escritos sobre Irlanda*, op. cit., pp. 128 e 154-170.
70. K. Marx, *Capital*, vol. 1, cap. 32, p. 929 [e.b., livro 1, vol. 2, cap. XXIV, p. 881].

tente"), de "biscateiros" ou "horistas" ("população estagnada"), de criminosos ou vagabundos ("lumpem")[72], o fato é que toda manifestação de superpopulação relativa é a tradução mais universal para a "filosofia prática" do modo capitalista de produção, cuja máxima não é satisfazer necessidades, mas produzir lucro:

"Nenhum capitalista, voluntariamente, emprega um novo método de produção – diz Marx – se isso leva a diminuir a taxa de lucro, por mais produtivo que [o método] possa ser ou por mais que aumente a taxa de mais-valia"[73]. Essa verdade vem sintetizada, anos mais tarde, por Rosa Luxemburgo, por meio de formulação diferente e complementar, ao atentar, a autora, para o fato que, no capitalismo, pela primeira vez na história e ao contrário de todas as economias anteriores, o consumo humano deixara de ser um fim para se tornar não mais que um *meio* a serviço do único fim visado pela dinâmica social dominante: a acumulação do capital.

O objetivo fundamental de toda a forma social de produção, a manutenção da sociedade pelo trabalho, a satisfação das necessidades, aparece aqui completamente alterado e colocado de cabeça para baixo, visto que a produção para o lucro, e já não mais para o homem, tornou-se a lei sobre toda a terra; [em outras palavras] o subconsumo, a insegurança permanente do consumo e, por momentos [hoje, talvez dissesse, por prazo indeterminado], o não-consumo da grande maioria da humanidade, tornaram-se regra[74].

Neste sentido, destaca ainda Marx:

Por isso, terá sempre de haver discrepância entre as dimensões limitadas do consumo em base capitalista e uma produção que procura constantemente ultrapassar o limite que lhe é imanente [...] Não se produzem meios de subsistência demais em relação à população existente. Pelo contrário, o que se produz é muito pouco para satisfazer, de maneira adequada e huma-

---

71. Cf. *idem*, vol. 3, cap. 15, p. 359 [e.b., livro 3, vol. 4, cap. XV, p. 288].
72. Sobre o assunto, vd. item 4, cap. 25 do vol. 1 de *Capital* [e.b., item 4 do cap. XXIII do livro 1, vol. 2].
73. *Idem*, vol. 3, cap. 15, p. 373 [e.b., livro 3, vol. 4, cap. XV, p. 303].
74. Cf. R. Luxemburgo, *Introdução à Economia Política*, *op. cit.*, pp. 347-348.

na, a massa da população. Não se produzem meios de produção em excesso para empregar a população trabalhadora potencial. Ao contrário [...] os meios de trabalho e os meios de subsistência periodicamente produzidos são demasiados para funcionar como meios de exploração de trabalhadores a uma dada taxa de lucro [...] Não se produz riqueza demais. Mas de tempos em tempos, a riqueza que se produz é demasiada em suas formas capitalistas antagônicas[75].

O capital, como uma gigantesca força social de incidência mundial – no contexto do qual nem mesmo mais o produtor é livre para produzir o que quer[76] – assume em definitivo uma dimensão institucional que extrapola o controle dos agentes individuais (capitalistas, cidadãos ou nações) e se impõe sobre os mesmos como uma força autônoma, um fetiche, enfrentando a sociedade e o mundo como "coisa", como "sistema". Vive-se o domínio da riqueza concentrada em mãos do capital centralizado, da propriedade privada do mundo pelo grande capital, do capital social como uma gigantesca "cia. Ltda.", da consolidação universal do industrialismo; mas também das crises globais, das "epidemias" de super-produção e do subconsumo, do desemprego estrutural, da massificação da miséria, da fome e da violência. Enfim, da subordinação barbarizada de todo trabalho humano, em todo o globo – de todas as raças, credos e nações – a um mesmo e único senhor.

É no interior dessa moldura histórica que, ainda que sob nova roupagem – e por força das próprias contradições sociais – o *slogan* luxemburguiano *"Socialismo ou Barbárie"* ainda ressoará no mundo globalizado do terceiro milênio. Afinal, como lembrava Marx, a humanidade não tem nenhuma vocação genética de oferecer-se, voluntariamente, em holocausto ao capital[77]. Nem ontem, nem hoje, nem amanhã!

---

75. K. Marx, *Capital*, vol. 3, cap. 15, pp. 366-367 [e.b., livro 3, vol. 4, cap. XV, p. 296].
76. Cf. K. Marx, *Misère de la Philosophie, op. cit.*, p. 18.
77. K. Marx, *Capital*, vol. 1, cap. 33, *op. cit.*, p. 934.

BIBLIOGRAFIA

Adams, I. *Political Ideology Today*. Manchester, Manchester University, 1995.

Aglietta, M. *Regulación y Crisis del Capitalismo*. Madrid, Siglo Veintuno, 1979.

_____ . "World Capitalism in the Eighties", *in New Left Review*, n. 136. London, Nov./Dec. 1982.

Altvater, E. "A Crise de 1929 e o Debate Marxista sobre a Teoria da Crise", *in* Hobsbawm, E. (Org.). *História do Marxismo*, vol. 8, trad. de Carlos Nelson Coutinho, Luiz Sérgio N. Henriques e Amélia Rosa Coutinho. Rio de Janeiro, Paz e Terra, 1987.

Amin, S. *Accumulation on a World Scale: A Critique of the Theory of Underdevelopment*, vols. 1 e 2. New York/London, Monthly Review, 1974.

_____ . "Columbus and the New World Order – 1492-1992", *in Monthly Review*, n. 3, vol. 44. London, 1992.

_____ . *¿Como Funciona el Capitalismo?: El Intercambio Desigual y la Ley del Valor*. séptima edición. México, Siglo Veintiuno, 1985.

_____. *El Desarrollo Desigual: Ensayo sobre las Formaciones Sociales del Capitalismo Periferico*, trad. de Nuria Vidal. Barcelona, Fontanella, 1974.

_____. *Imperialismo y Desarrollo Desigual*, trad. de Alberto Nicolas. Barcelona, Fontanella, 1976.

_____, ARRIGHI, G. *et alii, Dinámica de la Crisis Global*, trad. de Rosa C. Cendrero. México, Siglo Veintiuno, 1983.

ANDERSON, P. *Considerações sobre o Marxismo Ocidental*. 2ª edição, trad. de Marcelo Levy. Brasiliense, São Paulo, 1989.

ANDREFF, W. "The International centralization of capital and the reordering of World Capitalism", *in Capital & Class*, n. 22. London, Spring, 1984.

ARRIGHI, G. *O Longo Século XX: Dinheiro, Poder e as Origens de Nosso Tempo*, trad. de Vera Ribeiro. Contraponto/UNESP, 1996.

AVINERI, S. *The Social & Political Thought of Karl Marx*, twelveth reprinting. Cambridge, Cambridge University, 1993.

AXFORD, B. *The Global System: Economics, Politics and Culture,* Polity Press, Oxford, 1995.

BADALONI, N. "Marx e a Busca da Liberdade Comunista", *in* HOBSBAWM, E. (Org.). *História do Marxismo*, vol. 1, trad. de Carlos Nelson Coutinho e Nemésio Salles. Rio de Janeiro, Paz e Terra, 1979.

BAECHLER, J. *Los Orígenes del Capitalismo*, trad. de Amadeu Monrabà. Barcelona, Península, 1976.

BARAN, P. e SWEEZY, P. *Capitalismo Monopolista*, trad. de Waltensir Dutra. Rio de Janeiro, Zahar, 1966.

BARONE, C. A. *Marxist Thought on Imperialism: Survey and Critique*. London, Macmillan, 1985.

BARRATT BROWN, M. *After Imperialism*. Third edition. London, Heinemann Ltd., 1973.

_____. *The Economics of Imperialism*. Baltimore, Penguin Books, 1974.

BEAUD, M. "À partir de l'economie mondiale: esquisse d'une analyse du système-monde", *in* BIDET, J. e TEXIER, J. (Orgs.). *Le Nouveau Système du Monde, Actuel Marx – Confrontation*. Paris, Presses Universitaires de France, 1994.

_____. *História do Capitalismo: de 1500 aos Nossos Dias*, trad. de José Vasco Marques. Lisboa, Teorema, s/d.

_____. "O Mundo de Cabeça para Baixo", *in* MALAGUTI, L. M., CARCANHOLO, M. D. e CARCANHOLO, R. A. (Orgs.). *A Quem Pertence o Amanhã*, trad. dos organizadores e de Nicolás N. Campanário. São Paulo, Loyola, 1997.

BELL, D. *O Advento da Sociedade Pós-Industrial: Uma Tentativa de Previsão Social*, trad. de Heloysa de Lima Dantas. São Paulo, Cultrix, 1977.

BERGER, M. (Ed.). *Technology and Toil in Nineteenth Century Britain*. London, CSE Books, 1979.

BERGER, S. e PIORE, M. J. *Dualism and Discontinuity in Industrial Societies*. Cambrige, 1980.

BERGHAHN. *The Americanization pf West Germany Industry, 1945-1973*. Cambridge, Cambridge University, 1986.

BERLIN, I. *Karl Marx*, trad. de Roberto Bixio. Madrid, Alianza, 1988.

BERMAN, M. *Tudo Que é Sólido Desmancha no Ar: A Aventura da Modernidade*. 11ª reimpressão, trad. de Carlos Felipe Moisés e Ana Maria L. Ioriatti. São Paulo, Companhia das Letras, 1994.

BIDET, J. e TEXIER, J. (Orgs.). *Le Nouveau Système du Monde, Actuel Marx – Confrontation*. Paris, Presses Universitaires de France, 1994.

BINA, C. e YAGHMAIAN, B. "Post-War Global Accumulation and the Transnationalization of Capital", *in Capital & Class*, n. 43. London, Spring 1991.

BLACKBURN, R. "O Socialismo após o colapso", *in* BLACKBURN, R. (Org.). *Depois da Queda: O Fracasso do Comunismo e o Futuro do Socialismo*. 2ª edição, trad. de Luis Krausz, Maria Inês Rolim e Susan Semler. Rio de Janeiro, Paz e Terra, 1993.

_____. *The Overthrow of Colonial Slavery, 1776-1848*. Second impression. London, Verso, 1990.

BOURGUINAT, H. *L' Économie Mondiale à Découvert*. Paris, Calman-Levy, 1985.

BRAUDEL, F. *A Dinâmica do Capitalismo*. 3ª edição, trad. de Carlos da Veiga Ferreira. Lisboa, Teorema, 1989.

_____. *Civilização Material, Economia e Capitalismo – Séculos XV-XVIII*, 3 vols., trad. de Telma Costa. São Paulo, Martins Fontes, 1996.

BRENDER, A., GAYE, P. e KESSLER, V. *L'Aprés-Dollar*. Paris, Economica, 1986.

BRENNER, R. "The Origins of Capitalist Development: a Critique of Neo-Smithian Marxism", *in New Left Review*, n. 104. London, 1977.

BRUNHOFF, S. *A Moeda em Marx*, trad. de Aloísio Teixeira. Rio de Janeiro, Paz e Terra, 1978.

BUKHARINE, N. "Imperialismo e Acumulação de Capital", *in* LUXEMBURGO, R. e BUKHARINE, N., *Imperialismo e Acumulação de Capital*, trad. de Inês Silva Duarte. Lisboa, Edições 70, s/d.

_____. *O Imperialismo e a Economia Mundial*. 2ª edição, trad. de Aurélia Sampaio Leite. Rio de Janeiro, Laemmert, 1969.

BURKETT, P. "Poverty Crisis in the Third World: The Contradictions of World Bank Policy", *in Monthly Review*, vol. 42, n. 7, London, Dec. 1990.

_____. "Some Comments on Capital in General and the Structure of Marx's Capital", *in Capital & Class*, n. 44, London, Summer 1991.

CALVINO, I. *Por que ler os Clássicos*, trad. de Nilson Moulin. São Paulo, Companhia das Letras, 1993.

CARDOSO, F. H. e FALETTO, E. *Dependência e Desenvolvimento na América Latina: Ensaio de Interpretação Sociológica*. Rio de Janeiro, Zahar, 1970.

CARVER, T. *The Cambridge Companion to Marx*. Cambridge, Cambridge University, 1992.

CASTELLS, M. *A Teoria Marxista das Crises Econômicas e as Transformações do Capitalismo*, trad. de Alcir Henriques da Costa. Paz e Terra, 1979.

CASTRONOVO, V. *La Rivoluzione Industriale*. Firenze, Sansoni, 1973.

CAVESTRO, W., "Automation, New Technologies and Work Content", in WOOD, S. (ed.). *The Transformation of Work? Skill, Flexibility and the Labour Process*. London, Unwin Hyman, 1989.

CHAVANCE, B.(Org.). *Marx en Perspective*. Paris, École des Hautes Études en Sciences Sociales, 1993.

CHESNAIS, F. *A Mundialização do Capital*, trad. de Silvana Finzi Foá. São Paulo, Xamã, 1996.

CHESNAUX, J. *Modernité-Monde*. Paris, La Découverte, 1989.

CHOSSUDOVSKY, M. "La Pauvreté des Nations", *L'Imperialisme Aujourd'hui, in Actuel Marx*, n. 18. Paris, Presses Universitaires de France, 1995.

CLAIRMONT, F. F. "Sob as Asas do Capitalismo Planetário", *in* MALAGUTI, M. L., CARCANHOLO, M. D. e CARCANHOLO, R. A. (Orgs.). *A Quem Pertence o Amanhã*, trad. dos organizadores e de Nicolás N. Campanário. São Paulo, Loyola, 1997.

CLARKE, S. "New Utopias for Old: Fordism Dreams and Post-Fordist Fantasies", *in Capital & Class Review*, n. 42. London, Winter 1990.

COLE, D. *Work, Mobility and Participation: A Comparative Study of American and Japanese Industry*. Berkeley, 1979.

COLEMAN, D. C. *Revisions in Mercantilism*. London, Methuen & Co. Ltda., 1969.

COLLETTI, L. "Marxism and the Dialetic", *in New Left Review*, n. 93. London, 1975.

COLLINGSWORTH, T. *et alii*. "Time for a Global New Deal", *in Foreign Affairs Review*, vol. 73, n. 1. Jan./Feb. 1994.

_____ . *Science, Technique et Capital*. Paris, Seuil, 1976.

CORIAT, B. e BOYER, R. "Inovações, ciclos e crises: o retorno a Schumpeter", *in Novos Estudos CEBRAP*, n. 12. São Paulo, 1985.

DAHRENDORF, R. *O Conflito Social Moderno*. São Paulo, Zahar/Edusp, 1992.

DAVIS, H. B. *Toward a Marxist Theory of Nationalism*. New York / London, Monthly Review, 1978.

DAY, R. B. "The Theory of the Long Cycle: Kondratiev, Trotsky, Mandel", *in New Left Review*, n. 99. London, University of Chicago, 1976.

DEANE, P. *A Revolução Industrial*. 2ª edição, trad. de Meton Porto Gadelha. Rio de Janeiro, Zahar, 1973.

DEMURGER, A. *L'Occident Médieval, XIII-XV siècles*. Paris, Hachette, 1995.

DEYON, P. *O Mercantilismo*. 3ª edição, trad. de Teresa Cristina Silveira. São Paulo, Perspectiva, 1992.

DIAS, E. "Hegemonia: nova civiltà ou domínio ideológico", *in História & Perspectivas*, n. 5. Univ. Federal de Uberlândia, 1991.

DICKEN, P. *Global Shift: The Internationalization and Reestructuring of the Legal Field*. Second edition. London, Paul Chapman, 1992.

DOBB, M. "A Crítica da Economia Política", *in* HOBSBAWM, E. (Org.). *História do Marxismo*, vol. 1, trad. de Carlos Nelson Coutinho e Nemésio Salles. Rio de Janeiro, Paz e Terra, 1979.

_____ . *Economía Política y Capitalismo*. 4ª reimpresión. México, Fondo de Cultura Econômica, 1974.

_____ . *Estudios sobre el Desarollo del Capitalismo*. 18ª edición. México, Siglo Veintiuno, 1985.

DOCKÈS, P. *L'Internationale du Capital*. Paris, Presses Universitaires de France, 1975.

DOSI, G., GIANNETTI, R. e TONINELLI, P. A. *Technology and Enterprise in a Historical Perspective*. Oxford, Clarendon, 1992.

DRESCHER, S., *Capitalism and Antislavery*. New York, Oxford University, 1987.

DRUCKER, P. *Sociedade Pós-Capitalista*. 2ª edição, trad. de Nivaldo Montingelli Jr. São Paulo, Pioneira, 1994.

EDER, K. "Culture and Crisis: Making Sense of the Crisis of the World Society", *in* MUNCH, R. & SMELSER, N. J. (Eds.). *Theory of Culture*. Berkeley, University of California, 1992.

ELIAS, N. *El Proceso de la Civilización*. Segunda edición. México, Fondo de Cultura Económica, 1993.

ELLIOT, B. J. *World Society in The Twentieth Century*. London, Hulton Educational Publications Ltda., 1973.

ELLIOT, J. E. "Karl Marx's Theory of Socio-Institutional Transformation in Late-Stage Capitalism", *in Journal of Economic Issues*, vol. XVIII, n. 2. Jun. 1984.

EMMANUEL, A. "The Multinational Corporations and Inequality of Development", *in International Social Science Journal*, vol. XXVIII, n. 4. Paris, Unesco, Presses Universitaires de France, 1976.

ENGELS, F. *Anti-Dühring*. 2ª edição. Rio de Janeiro, Paz e Terra, 1979.

_____ . *A Origem da Família, da Propriedade Privada e do Estado*, *in* MARX, K., *Sociedade e Mudanças Sociais* (coletânea de textos). 2ª edição. Lisboa, Edições 70, 1973.

_____ . Prefácio à primeira edição alemã de *Miséria da Filosofia*, *in* MARX, K., *Miséria da Filosofia*. Lisboa, Estampa, 1978.

_____ . "The Peasant War in Germany", *in* MARX, K., ENGELS, F. e LÊNIN, V. I. *On Scientific Communism*. Moscow, Progress, 1967.

EVANS, P. *Dependent Development: The Alliance of Multinational State and Local Capital in Brazil*. Princeton, Princeton University, 1979.

FIELDHOUSE, D. K. *Colonialism 1870-1915: An Introduction*. Houndmills, MacMillan, 1988.

_____ . *Economics and Empire, 1830-1914*. New York, Cornell University, 1973.

FINELLI, R. "La riflessione sul moderno in Smith, Ricardo e Marx", *in Critica Marxista*, n. 4, anno 25. Roma, Editori Riuniti Riviste, 1987.

FISCHER, E. *Marx in his own words*. London, Penguin Books, 1970.

FOSTER-CARTER, A. "The Modes of Production Controversy", *in New Left Review*, n. 107. London, 1978.

FROMM, E. *Conceito Marxista do Homem*, trad. de Octavio Alves Velho. Rio de Janeiro, Zahar, 1979.

GALLAGHER, J. e ROBINSON, R. "The imperialism of free trade", *in Economic History Review*, vol. 6. Cambridge, 1953.

GANDY, D. R. *Marx e a História*, trad. de Nathanael C. Caixeiro. Rio de Janeiro, Zahar, 1980.

GENOVESE, E. G. *The Political Economy of Slavery: Studies in the Economy and Society of the Slave South*. New York, Vintage Books, 1967.

GHYMERS, C. "Réagir à l'emprise du dollar", *in* AGLIETTA, M. *L'Écu et la Vieille Dame*. Paris, Economica, 1986.

GIDDENS, A. *As Conseqüências da Modernidade*, trad. de Raul Fiker. São Paulo, Unesp, 1991.

_____. *A Contemporary Critique of Historical Materialism*, London, MacMillan, 1981.

_____. *Central Problems in Social Theory: Action, Structure and Contradiction in Social Analysis*, reprinted. Berkeley, University of California, 1994.

_____. "Marx, Weber e o Desenvolvimento do Capitalismo", *in* GERTZ, R., *Max Weber & Karl Marx*. São Paulo, 1994.

GOTTLIEB, R. *An Anthology of Western Marxism: from Lukacs and Gramsci to Socialist-Feminism.* Oxford, Oxford University, 1989.

GRAMSCI, A. "A Disciplina Internacional" (L'Ordine Nuovo, 16 e 23/10/1920), *in Escritos Políticos*, vol. II, trad. de Manuel Simões. Lisboa, Seara Nova, 1977.

_____. "A Liga das Nações" (Il Grido del Popolo, 19/1/1918), *in Escritos Políticos*, vol. I, *op. cit.*

_____. "Americanismo e Fordismo", *in Maquiavel, a Política e o Estado Moderno*. 3ª edição, trad. de Luiz Mário Gazzaneo. Rio de Janeiro, Editora Civilização Brasileira, 1978.

_____. *Escritos Políticos*, vol. I, trad. de Manuel Simões. Lisboa, Seara Nova, 1977.

_____. *Os Intelectuais e a Organização da Cultura*. 3ª edição, trad. de Carlos Nelson Coutinho. Rio de Janeiro, Civilização Brasileira, 1979.

_____. *Quaderni del Carcere*, 4 vols., Edizione critica dell' Istituto Gramsci, a cura di Valentino Gerratana. Torino, Einaudi, 1975.

_____. *Scritti Politici*, vol. I, a cura di Paolo Spriano. Roma, Riuniti, 1978.

GUNDER FRANK, A. *Acumulação Mundial, 1492-1789*, trad. de Hélio Pólvora e Carlos Nelson Coutinho. São Paulo, Zahar, 1977.

_____. *Le Développment du Sous-Développment: L'Amerique Latine*. Paris, Maspero, 1970.

GUTTENTAG, J. e HERRING, R. "The lender of last resort function in an international context", *in International Finance Sction*, n. 151. Princeton, Essays, 1983.

HARVEY, D. *Condição Pós-Moderna: uma Pesquisa sobre as Origens da Mudança Cultural,* trad. de Adail Ubirajara Sobral e Maria Stela Gonçalves. São Paulo, Loyola, 1993.

HAY, D. *L'Europe aux XIV et XV siècles*. Paris, Sirey, 1972.

HECKSCHER, E. F. *La Epoca Mercantilista: historia de la organizacion y las ideas economicas desde el final de la Edad Media hasta la sociedad liberal*. México, Fondo de Cultura Economica, 1943.

HEGEL, G. W. F. *Philosophy of Right*, translated with notes by KNOX, T. M. Oxford, Oxford University, 1967.

_____. *The Philosophy of History*, translated by J. Sibree. New York, Dover Publications Inc., 1956.

HEINRICH, M. "Capital in general and the structure of Marx's Capital", *in Capital & Class*, n. 38. London, Summer 1989.

HELD, D. *Democracy and the Global Order: From the Modern State to Cosmopolitan Governance*. Oxford, Polity, 1995.

HILFERDING, R. *El Capital Financiero*. Habana, Instituto Cubano del Libro, 1971.

HILTON, R., DOBB, M. *et alii*. *A Transição do Feudalismo para o Capitalismo: Um Debate,* trad. de Isabel Didonnet. Rio de Janeiro, Paz e Terra, 1978.

HINDESS, B. e HIRST, P. Q. *Modos de Produção Pré-Capitalistas*, trad. de Alberto Oliva. Rio de Janeiro, Zahar, 1976.

HOBSBAWM, E. *A Era das Revoluções, 1789-1848*. 4ª edição, trad. de Maria Tereza L. Teixeira e Marcos Penchel. Rio de Janeiro, Paz e Terra, 1982.

_____. *A Era dos Impérios, 1875-1914*. 3ª edição, trad. de Sieni Maria Campos e Yolanda S. de Toledo. Rio de Janeiro, Paz e Terra, 1992.

_____. *Age of Extremes: The Short Twentieth Cantury, 1914-1991*. London, Abacus, 1995.

_____. *As Origens da Revolução Industrial*, trad. de Percy Galimberti. São Paulo, Global, 1979.

_____. "Aspectos Políticos da Transição do Capitalismo ao Socialismo", *in* HOBSBAWM, E. (Org.). *História do Marxismo*, vol. 1, trad. de Carlos Nelson Coutinho e Nemésio Salles. Rio de Janeiro, Paz e Terra, 1979.

_____. *Da Revolução Industrial Inglesa ao Imperialismo*. 4ª edição, trad. de Donaldson M. Garschagen. Rio de Janeiro, Forense-Universitária, 1986.

HOLLOWAY, J. "Capital Moves", *in Capital & Class*, n. 57. London, Autumn 1995.

_____. "Global Capital and the National State", *in Capital & Class*, n. 52, London, Spring 1994.

HUSSON, M. "Les Trois Dimensions du Neo-Impérialisme", *L'Impérialisme Aujourd'hui*, in *Actuel Marx*, n. 18. Paris, Presses Universitaires de France, 1995.

IANNI, O. *A Era do Globalismo*. Rio de Janeiro, Civilização Brasileira, 1996.

_____. *A Sociedade Global*. 2ª edição. Rio de Janeiro, Civilização Brasileira, 1993.

_____. *Teorias da Globalização*. Rio de Janeiro, Civilização Brasileira, 1995.

JAMESON, F. "Conversas sobre a Nova Ordem Mundial", *in* BLACKBURN, R. (Org.). *Depois da Queda: O Fracasso do Comunismo e o Futuro do Socialismo*. 2ª edição, trad. de Luis Krausz, Maria Inês Rolim e Susan Semler. Rio de Janeiro, Paz e Terra, 1993.

_____. "Five Theses on Actually Existing Marxism", *in Monthly Review*, vol. 47, n. 11. London, April 1996.

JOHNSTON, L. *Marxism, Class analysis and Socialist Pluralism*. London, Allen & Unwin, 1986.

KAMENKA, E. *The Portable Karl Marx*. London, Penguin Books, 1983.

KAPLAN, M. "The Power Structure in International Relations", *in International Social Science Journal*, vol. XXVI, n. 1. Paris, Unesco, Presses Universitaires de France, 1974.

KEMP, T. *Industrialization in Nineteenth-Century Europe*. Second edition. London / New York, Logman, 1985.

KENNEDY, P. *Preparando para o Século XXI*, trad. de Waltensir Dutra. Rio de Janeiro, Campus, 1993.

_____. *The Rise and Fall of the Great Powers: Economic Change and Military Conflict from 1500 to 2000*. London, Unwin Hyman, 1993.

KERN, H. e SCHUMANN, M. "New Concepts of Production and the Emergence of the Systems Controller", *in Technology and the Future of Work*. Goettingen, University of Goettingen, 1990.

KIERNAN, V. G. *Marxism and Imperialism*, St. New York, Martin's Press, 1975.

KOCKA, J. "Objeto, Conceito e Interesse", *in* GERTZ, R., *Max Weber & Karl Marx*. São Paulo, Hucitec, 1994.

KONDER, L. *Marx, Vida e Obra*. 4ª edição. Rio de Janeiro, Paz e Terra,1981.

_____ et alii (Orgs.). *Por que Marx*. Rio de Janeiro, Graal, 1983.

KOPNIN, P. V. *A Dialética como Lógica e Teoria do Conhecimento*, trad. de P. Bezerra. Rio de Janeiro, Civilização Brasileira, 1978.

KUBÁLKOVA, V. e CRUICKSHANK, A. *Marxism and International Relations*. Oxford/New York, Oxford University, 1989.

KURZ, R. "As Luzes do Mercado se Apagam: As Falsas Promessas do Neoliberalismo ao Término de um Século em Crise", in Revista *Estudos Avançados*, vol. 7, n. 18. São Paulo, Universidade de São Paulo, 1993.

_____. *O Colapso da Modernização*. 2ª edição, trad. de Karen Elsabe Barbosa. Rio de Janeiro, Paz e Terra, 1993.

LACLAU, E. "Feudalism and Capitalism in Latin America", *in New Left Review*, n. 67. London, May/Jun. 1971.

LATOUCHE, S. *L'Occidentalization du Monde*. Paris, La Découverte, 1992.

LEBEGUE, D. "Pour une réforme du système monétaire internacional", *in Économie Prospective Internationale*, n. 24. Paris, 4º trimestre de 1985.

LEFEBVRE, H. *O Marxismo*. 4ª edição, trad. de J. Guinsburg. São Paulo, Difel, 1974.

_____. *Para Compreender o Pensamento de Karl Marx*. 2ª edição, trad. de Laurentina Capela. Lisboa, Edições 70, s/d.

_____. *Sociologia de Marx*. 2ª edição, trad. de Carlos Roberto Alves Dias. Rio de Janeiro, Forense Universitária, 1979.

LE GOFF, *Marchands et Banquiers du Moyen Age*. Paris, Presses Universitaires de France, 1956.

LÊNIN, V. I., "Draft and Explanation of a Programme for the Social-Democratic Party", *in* V. I. Lênin, *Collected Works*, vol. 2. Moscow, Foreign Languages Publishing House, 1963.

_____. "O Imperialismo, Fase Superior do Capitalismo", *in Obras Escolhidas*, vol. 1. São Paulo, Alfa-Ômega, 1979.

LEONARD, G. *Foreign Trade and National Economy: Mercantilism and Classical Perspectives*, reprinted. London, Macmillan, 1991.

LIPIETZ, A. "Towards Global Fordism?", *in New Left Review*, n. 132. London, Mar./Apr. 1982.

LITTLE, D. "Does Marx have a Theory of Capitalism?", *in The Social Science Journal*, vol. 22, n. 1, Jan 1985.

LOJKINE, J. *A Revolução Informacional*, trad. de José de Paulo Netto. São Paulo, Cortez, 1995.

LÖWY, M. "Imperialisme: Présentation II", *L'Imperialisme aujourd'hui*, in *Actuel Marx*, n. 18. Paris, Presses Universitaires de France, 1995.

_____. "Romantismo e Marxismo", *in* COGGIOLA, O. (Org.). *Marxismo Hoje*. São Paulo, Edusp / Xamã, 1994.

LUKÁCS, G. *História e Consciência de Classe*, trad. de Telma Costa. Porto, Escorpião, 1974.

LUPORINI, C. "Critica della politica e critica della economia politica in Marx", *in Critica Marxista*, n. 1, anno 16. Roma, Editori Riuniti, 1978.

_____. "Per l'interpretazione della categoria 'formazione economico-sociale'", *in Critica Marxista*, n. 3, anno 15. Roma, Editori Riuniti, 1977.

LUXEMBURGO, R. "A Acumulação do Capital – Uma Anticrítica: A Acumulação de Capital ou O Que os Epígonos Fizeram da Teoria de Marx", *in* LUXEMBURGO, R. e BUKHARINE, N., *Imperia-*

lismo e Acumulação de Capital, trad. de Inês Silva Duarte. Lisboa, Edições 70, s/d.

_____ . *Introdução à Economia Política*, trad. de Celso Leite. São Paulo, Martins Fontes, s/d.

MADEUF, B. e MICHALET, C. A. "Global Forces – A New Approach to International Economics", *in International Social Science Journal*, vol. XXX, n. 2. Paris, Unesco, Presses Universitaires de France, 1978.

MAGDOFF, H. *Imperialism: From the Colonial Age to the Present*. London, Monthly Review, 1978.

MANDEL, E. *A Formação do Pensamento Econômico de Karl Marx*, trad. de Carlos Henrique de Escobar. Zahar, 1968.

_____ . "After Imperialism, What About?", *in New Left Review*, n. 25. London, Mai./Jun. 1964.

_____ . *Ensayos sobre el Neocapitalismo*. México, Era, 1971.

_____ . "Explaining long waves of capitalist development", *in Futures Review*. London, 1981.

_____ . *Late Capitalism,* fifth impression. London, Verso, 1993.

MANTOUX, P. *A Revolução Industrial no Século XVIII*, trad. de Sonia Rangel. São Paulo, Unesp / Hucitec, s/d.

MARCUSE, H. *A Ideologia da Sociedade Industrial*. Rio de Janeiro, Zahar, 1969.

MARINI, R. M. *Subdesarrollo y Revolución*. México, Siglo Ventiuno, 1969.

MARTELLI, R. "Monde, Europe, Nation: l'individu dans ces maisons communes", *in* BIDET, J. e TEXIER, J. (Orgs.). *Le Nouveau Système du Monde, Actuel Marx – Confrontation*. Paris, Presses Universitaires de France, 1994.

MARX, K. *Capital*, 3 vols. London, Penguin Books, 1990.

_____ . *Contribuição à Crítica da Economia Política*, trad. de Maria Helena B. Alves. São Paulo, Martins Fontes, 1977.

_____ . "Discours sur le Libre-Échange", *in* MARX, K., *Oeuvres – Économie*. Paris, Gallimard, 1965.

_____ . *Elementos Fundamentales para la Critica de la Economia Politica (Grundrisse) 1857-1858*. 14ª edición. México, Siglo Veintiuno, 1986.

_____ . *La Guerre Civile en France, 1871*. Paris, Éditions Sociales, 1968.

_____ . "Le Lotte di Classe in Francia del 1848 al 1850", *in* MARX, K. e ENGELS F. *Opere (Complete)*, vol. X. Roma, Editori Riuniti, 1977.

_____ . *Manuscrits de 1844 (Économie, Politique & Philosophie)*, trad. de Emile Bottigelli. Paris, Editions Sociales, 1968.

_____ . *Misère de la Philosophie*, in *Oevres-Économie*. Paris, Gallimard, 1965.

_____. *O Capital*, 6 vols., trad. de Reginaldo Santana. Rio de Janeiro, Civilização Brasileira, s/d.

_____. *O Capital, Livro I, Capítulo VI (inédito)*, trad. de Célia Regina de A. Bruni. São Paulo, Ciências Humanas, 1978.

_____. *O 18 Brumário e Cartas a Kugelmann*. 4ª edição, trad. de Leandro Konder e Renato Guimarães. Rio de Janeiro, Paz e Terra, 1978.

_____. *Selected Works in One Volume*. London, Lawrence and Wishart, 1968.

_____. *Sociedade e Mudanças Sociais* (Coletânea de Textos). 2ª edição. Lisboa, Edições 70, s/d.

_____. *Teorias sobre la PlusValia*, vol. 3. Buenos Aires, Cartago, 1974.

_____. *Theories of Surplus-Value*, vols. 1 e 2. London, Lawrence & Wishart, 1969.

_____. *Trabajo Asalariado y Capital*. Barcelona, Nova Terra, 1970.

MARX, K. e ENGELS, F. *A Ideologia Alemã*, vol. I. 3ª edição, trad. de Conceição Jardim e Eduardo Lúcio Nogueira. Lisboa, Presença, s/d.

_____. *China: ¿Fósil viviente o trasmisor revolucionario?*. México, Universidad Nacional Autonoma de Mexico, 1975.

_____. *Critique des Programmes de Gotha et d' Erfurt*. Paris, Éditions Sociales, 1972.

_____. *Imperio y Colonia: Escritos sobre Irlanda*, Cuadernos de Pasado y Presente, n. 72. México, 1979.

_____. *Le Manifeste Communiste*, trad. par J. Molitor, Alfred Costes Éditeur. Paris, 1934.

_____. *Lettres Sur "Le Capital"*. Paris, Éditions Sociales, 1964.

_____. *Oeuvres Choisis* (2 vols.). Paris, Gallimard, 1963.

_____. *On Britain*. Second edition. Moscow, Foreign Languages Publishing House. 1962.

_____. *Opere (XL) – Lettere, 1856-1859*. Roma, Editori Riuniti, 1973.

_____. *Selected Correspondence*. Second edition. Progress Moscow, 1965.

_____. *Sobre el Colonialismo*, Cuadernos de Pasado y Presente, n. 37. Córdoba, 1973.

_____. *The First Indian War of Independence, 1857-1859*. Second impression. Moscow, Foreign Languages Publishing House, s/d.

MATIAS, P. *A Primeira Revolução Industrial: Uma História Econômica da Inglaterra, 1700-1914*, trad. de César de Oliveira e Eduardo Mendes. Lisboa, Assirio e Alvin, 1969.

_____ e TABB, W. K. "A New Stage of Capitalism Ahead?", *in Monthly Review*, vol. 41, n. 1. London, May 1989.

MATTELART, A. *La Communication-Monde: Histoire des Idées et des Stratégies*. Paris, La Découverte, 1992.

MCLELLAN, D. *Marx's Grundrisse*. London, MacMillan Press Ltd., 1971.

_____. *The Thought of Karl Marx*. Third Edition. London, Papermac, 1995.

MCLUHAN, M. e POWERS, B. R. *The Global Village*. Oxford, Oxford University, 1989.

MCMICHAEL, P. e MYHRE, D. "Global Regulation vs. the Nation-State: Agro-Food Systems and the New Politics of Capital", *in Capital & Class*, n. 43. London, Spring 1991.

MÉCHOULAN, H. *Dinheiro e Liberdade: Amsterdam no tempo de Spinoza*, trad. de Lucy Magalhães. Rio de Janeiro, Zahar, 1992.

MEDVEDEV, R. A. "O Socialismo num só País", *in* HOBSBAWM, E. (Org.). *História do Marxismo*, vol. 7, trad. de Carlos Nelson Coutinho, Luiz Sérgio N. Henriques e Amélia Rosa Coutinho. Rio de Janeiro, Paz e Terra, 1986.

MERHAV, M. *Dependencia Tecnologica, Monopolio y Crescimiento*. Buenos Aires, Periferia, 1972.

MÉSZÁROS, I. *Beyond Capital: Towards a Theory of Transition*. London, Merlin, 1995.

_____. *Produção Destrutiva e Estado Capitalista*, trad. de Georg Toscheff. São Paulo, Ensaio, 1989.

MICHALET, C. A. *Le Capitalisme Mondial*. Paris, Presses Universitaires de France, 1976.

MILIBAND, R. *The State in Capitalist Society*. London, Quartet Books Limited, 1973.

MILLER, J. *Way of Death: Merchant Capitalism and the Angolan Slave, 1730-1830*. Madison, University of Winsconsin, 1988.

MURRAY, F. "The Decentralization of Production and the Decline of the Mass-Collective Worker?", *in Capital & Class Review*, n. 19. London, Spring 1983.

NAPOLEONI, C. *Lições sobre o Capítulo Sexto (Inédito) de Marx*, trad. de Carlos Nelson Coutinho. São Paulo, Ciências Humanas, 1981.

NEGRI, A. *Marx oltre Marx: Quaderno di Lavoro sui Grundrisse*. Terza edizione. Milano, Feltrinelli, 1979.

NICOLAUS, M. "The Universal Contradiction", *in New Left Review*, n. 59. London, Jan./Feb. 1970.

NOVACK, G. *An Introduction to the Logic of Marxism*, sixth printing. New York, Pathfinder, 1986.

NOVAIS, F. *Portugal e Brasil na Crise do Antigo Sistema Colonial (1777-1808)*. 3ª edição. São Paulo, Hucitec, 1985.

O'DONNEL, G. e LINK, D. *Dependência y Autonomia: Formas de Dependencia y Estratégias de Liberación*. Buenos Aires, Amorrortu, 1973.

OFFE, K. *Problemas Estruturais do Estado Capitalista*. São Paulo, Tempo Brasileiro, 1984.

OHMAE, K. *O Fim do Estado Nação: A Ascensão das Economias Regionais,* trad. de Ivo Korytowski,.Campus, 1996.

PALLOIX, C. *L'Économie Mondiale Capitaliste*, tomes I et II. Paris, Maspero, 1971.

PASSARELLI, B. A. *Colonialismo y Acumulación Capitalista en la Europa Moderna*. Buenos Aires, Preamar, 1973.

PEDROSA, M. *in A Crise Mundial do Imperialismo e Rosa Luxemburgo*. Rio de Janeiro, Civilização Brasileira, 1979.

PEREIRA, A. C. A. "Marx e as Relações Internacionais", *in* KONDER, L. *et alii* (Orgs.). *Por que Marx?*. Rio de Janeiro, Graal, 1983.

PERROTTA, C. "Il Capitale costante nella critica di Marx ai classici", *in Critica Marxista,* n. 1, anno 16. Roma, Editori Riuniti, 1978.

PICCIOTTO, S. "The Internationalisation of the State", *in Capital & Class*, n. 43. London, Spring 1991.

PIORE, M. J. e SABEL, C. F. *The Second Industrial Divide*. New York, Basic Books Inc., 1986.

PITELIS, C. "Beyond the Nation State? The Transnational Firm and the Nation-State", *in Capital & Class*, n. 43. London, Spring 1991.

PIVEN, F. F. "Is It Global Economics or Neo Laissez-Faire?", *in New Left Review,* n. 213. London, Sep./Oct. 1995.

POLLERT, A. "Dismantling flexibility", *in Capital & Class Review*, n. 34. London, Spring 1988.

POOLEY, S. "The State Rules, OK? The Continuing Political Economy of Nation-States", in *Capital & Class*, n. 43. London, Spring 1991.

PORTER, M. *The Competitive Advantage of Nations.* London, MacMillan, 1990.

PRODANOV, C. C. *O Mercantilismo e a América*. São Paulo, Contexto, 1990.

RICARDO, D. *On The Principles of Political Economy and Taxation*. Cambridge, Cambridge University, 1970.

RIOUX, J. P. *A Revolução Industrial 1780-1880,* trad. de Waldirio Bulgarelli. São Paulo, Pioneira, 1975.

ROBERTSON, R. *Globalization: Social Theory and Global Culture*. Third impression. London, Sage, 1994.

ROSDOLSKY, R. *Génesis y Estructura de El Capital de Marx (Estudios sobre los Grundrisse)*. Segunda edición, trad. de León Mames. México, Siglo Veintiuno, 1979.

Rosenberg, N. *Perspectives on Technology*. Cambrige, Cambridge University, 1976.

Rostow, W. W. *The Stages of Economic Growth: A Non-Communist Manifesto*. Cambridge, Cambridge University, 1960.

Rubin, I. I. *Ensayo Sobre La Teoria Marxista Del Valor*, Cuadernos de Pasado y Presente, n. 53. 3ª edición, trad. de Néstor Míguez. México, Siglo XXI, 1979.

Sabel, C. e Zeitlin, J. "Historical Alternatives to mass production: Politics, Markets and Technology in nineteenth century industrialization", *in Past and Present*, n. 108. Oxford, 1985.

Schaff, A. *A Sociedade Informática*. 4ª edição, trad. de C. E. Jordão Machado e L. A. Obojes. São Paulo, Unesp/Brasiliense, 1993.

Schumpeter, J. "A significação do Manifesto Comunista na Sociologia e na Economia", *in* Laski, H. J. *O Manifesto Comunista de Marx e Engels* (Apêndice), trad. de Regina Lúcia F. de Moraes e Cassio Fonseca. Rio de Janeiro, Zahar, 1978.

_____ . *The Theory of Economic Development: an inquiry into profits, capital, credit, interest and the bisness cycle*. London / Oxford / New York, Oxford University, 1969.

Sklair, L. *Sociology of the Global System*, Harvester & Wheatsheaf. London, 1991.

Smith, A. *A Riqueza das Nações*, vols. I e II. 2ª edição, trad. de Luís Cristóvão de Aguiar. Lisboa, Fundação Calouste Gulbenkian, s/d.

Simmel, G. *Philosophie de l'Argent*. Paris, Presses Universitaires de France, 1987.

Sombart, W. *El Apogeo del Capitalismo*, vols. I e II. Primera reimpresión, trad. de José Urbano Guerrero. México, Fondo de Cultura Económica, 1984.

Spybey, T. *Globalization and World Society*. Cambridge, Polity, 1996.

Stahl, H. H. "Le Deuxième Servage en Europe Centrale et Orientale", *in Recherches Internationales,* n. 63-64. Paris, 1970.

Ste. Croix, G. E. M. de. "Karl Marx and the Interpretation of Ancient and Modern History", *in* Chavance, B. (Org.). *Marx en Perspective*. Paris, École des Hautess Études en Sciences Sociales, 1983.

Sweezy, P. *Modern Capitalism and Other Essays*. New York/London, Monthly Review, 1972.

_____ . "What's new in the New World Order?", *in Monthly Review*, vol. 43, n. 2. London, June 1991.

Swingewood, A. *Marx e a Teoria Social Moderna*, trad. de Carlos Nayfeld. Rio de Janeiro, Civilização Brasileira, 1978.

SYLLA, R. e TONIOLO, G. (Eds.). *Patterns of European Industrialization: The Nineteenth Century*. London/ New York, Routledge, 1991.

SZENTES, T. "Structural Rootes of the Employment Problem", *in International Social Science Journal*, vol. XXVIII, n. 4. Paris, Unesco, Presses Universitaires de France, 976.

TANZER, M. "Globalizing the Economy: the influence of the International Monetary Fund and the World Bank", *in Monthly Review*, vol. 47, n. 4. London, September 1995.

THERBORN, G. "The Economic Theorists of Capitalism, *in New Left Review*, n. 87-88. London, 1974.

THOMPSON, A. *La Dinámica de la Revolución Industrial*. Barcelona, Oikos-Tau, 1976.

TOFFLER, A. *A Terceira Onda*. 19ª edição, trad. de João Távora. Rio de Janeiro, Record, s/d.

TRIFFIN, R. "Reshaping the International Monetary Order", *in International Social Science Journal*, vol. XXX, n. 2. Paris, Unesco, Presses Universitaires de France, 1978.

TROTSKY, L. *Histoire de la Révolucion Russe*. Paris, Éditions du Seil, s/d.

_____. *La Révolution Permanente*. Paris, Gallimard, 1963.

VILLARREAL, R. (Org.). *Economia Internacional II-Teorias del Imperialismo, la Dependencia y sua Evidencia Histórica*. México, Fondo de Cultura Económica, 1989.

VOLCKER, P. e GYOHTEN, T. *A Nova Ordem Econômica: As Finanças Internacionais, o Surgimento dos Novos Blocos Regionais e a Ameaça à Hegemonia Americana*, trad. de Vânia Conde e Viviane Castanho. Porto Alegre, Ortiz, 1993.

WALICKI, A. "Socialismo russo e populismo", *in* HOBSBAWM, E. (Org.). *História do Marxismo*, vol. 3, trad. de Carlos Nelson Coutinho, Fátima Murad e Luiz Arturo Obojes. Rio de Janeiro, Paz e Terra, 1984.

WALLACE, I. *The Global Economic System*. London, Unwin Hyman, 1990.

WALLERSTEIN, I. "Braudel on Capitalism and the Market", *in Monthly Review*, n. 9, vol. 37. London, 1986.

_____. *O Capitalismo Histórico*, trad. de Denise Bottmann. São Paulo, Brasiliense, 1985.

_____. *The Capitalist World-Economy*. Cambridge, Cambridge University, 1979.

_____. *The Modern World-System*, vols. I e II. London, Academic Press, 1974.

_____. *Metodologia das Ciências Sociais*, partes I e II. São Paulo, Cortez/Unicamp, 1992.

WILLIAMS, E. *Capitalismo e Escravidão*, trad. de Carlos Nayfeld. Rio de Janeiro, Companhia Editora Americana, 1975.

WILLIAMS, R. "Base and Superestructure in Marxist Cultural Theory", *in New Left Review,* n. 82. London, 1973.

WILLIAMSON, J. *The Failure of World Monetary Reform 1971-1974*. New York, New York University Press, 1977.

WOLFF, P. *Commerces et Marchands de Toulouse (vers 1350 - vers 1450)*. Paris, Plon, 1954.

WOOD, E. M. "From opportunity to imperative: the history of the market", *in Monthly Review*, n. 3, vol. 46. London, 1994.

ZELENY, J. *Dialectica y Conocimiento*, trad. de Jacobo Muñoz. Madrid, Cátedra, 1982.

SOBRE O AUTOR

Alex Fiuza de Mello, nascido em Belém (PA), é Professor do Departamento de Ciência Política da UFPA, Mestre em Ciência Política pela UFMG e Doutor em Ciências Sociais pela Unicamp. É autor dos livros *A Pesca sob o Capital* (GEU/Ufpa, 1985), *Mundialização e Política em Gramsci* (Ed. Cortez, 1996) e *Marx e a Globalização* (Boitempo Editorial, 1999).

SOCIOLOGIA NA PERSPECTIVA

O Fim do Povo Judeu?
George Friedmann (D006)

Sociologia do Esporte
Georges Magnane (D015)

Sobre Comunidade
Martin Buber (D203)

Autoritarismo e Eros
Vilma Figueiredo (D251)

Capitalismo e Mundialização em Marx
Alex Fiuza de Mello (D279)

Sociologia da Cultura
Karl Mannheim (E032)

De Geração a Geração
S. N. Eisenstadt (E041)

Ensaios de Sociologia
Marcel Mauss (E047)

Sociedade Israelense
S. N. Eisenstadt (E056)

Arte, Privilégio e Distinção
José Carlos Durand (E108)

Lenin: Capitalismo de Estado e Burocracia
Leôncio M. Rodrigues e Ottaviano de Fiore (EL16)

O Desencantamento do Mundo
Pierre Bourdieu (EL19)